워크북

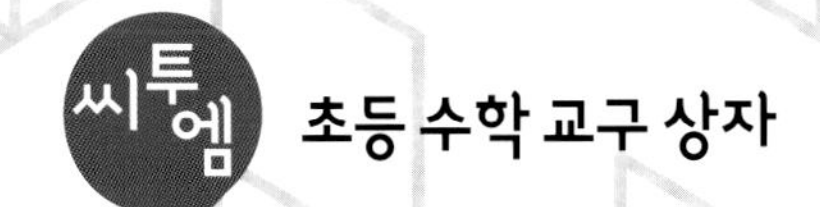

도형감각을 길러주는

입체 칠교 퍼즐

Poly Tan

폴리탄

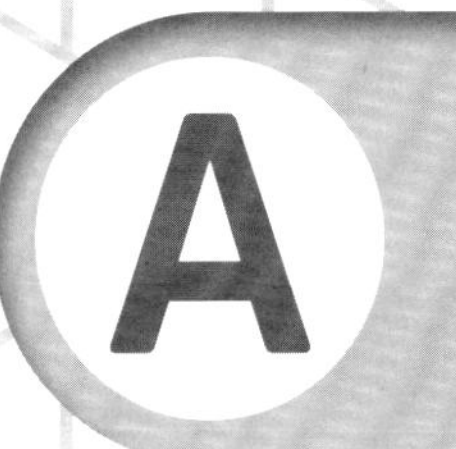

차 례

"꿈꾸는 아이들을 위한 교육 사다리"

논리와 재미, 즐거운 수학 교육을 위한 최고의 콘텐츠를 만들겠습니다

- 법인명: ㈜씨투엠에듀(C2MEDU corp.)
- CEO: 한헌조
- 창립연도: 2014년 10월
- 홈페이지: www.c2medu.co.kr

01 탱그램

연관 활동: 탱그램 카드

칠교의 유래

칠교는 정사각형을 7조각으로 잘라 만든 퍼즐로 오래 전 중국에서 유래되었고, 우리나라에서는 칠교 놀이라 하여 전통 놀이로 전해 오고 있습니다. 칠교는 손님이 찾아왔을 때, 음식을 준비하는 동안 지루하지 않도록 칠교를 내놓아 '유객판'이라 하고, 지혜를 짜내어 여러 가지 모양을 만들어 '지혜판'이라고도 불렀습니다.

1800년대에는 탱그램(Tangram)이란 이름으로 유럽에 전해져 많은 사람들이 칠교를 접하게 되었습니다. 나폴레옹이 유배생활 중에 칠교를 즐겼다는 이야기가 전해지고, 퍼즐 연구가 샘 로이드는 그의 책에 칠교를 탄(Tan)이라는 신이 4000년 전에 만들었다고 소개하기도 하였습니다.

이처럼 칠교는 전세계적으로 알려진 퍼즐로 현재에도 많은 사람들이 즐기고 있습니다.

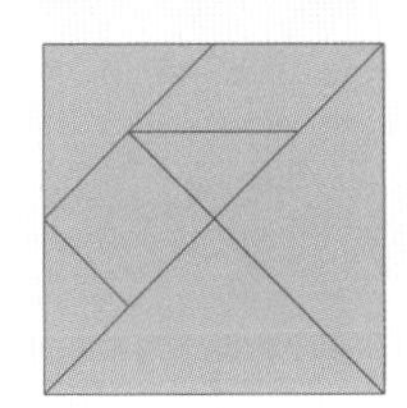

칠교

7조각 칠교

준비물 입체 칠교, 스티커

칠교 **7**조각으로 새 모양을 만들었습니다. 점선에 맞추어 칠교 조각을 놓고 스티커를 붙여 보세요.

7조각 볼로

볼로 **7**조각으로 배 모양을 만들었습니다. 점선에 맞추어 볼로 조각을 놓고 스티커를 붙여 보세요.

칠교로 모양 만들기

준비물 • 입체 칠교

색칠된 칠교 조각을 사용하여 다음 모양을 빈틈없이 채워 보세요.

볼로로 모양 만들기

색칠된 볼로 조각을 사용하여 다음 모양을 빈틈없이 채워 보세요.

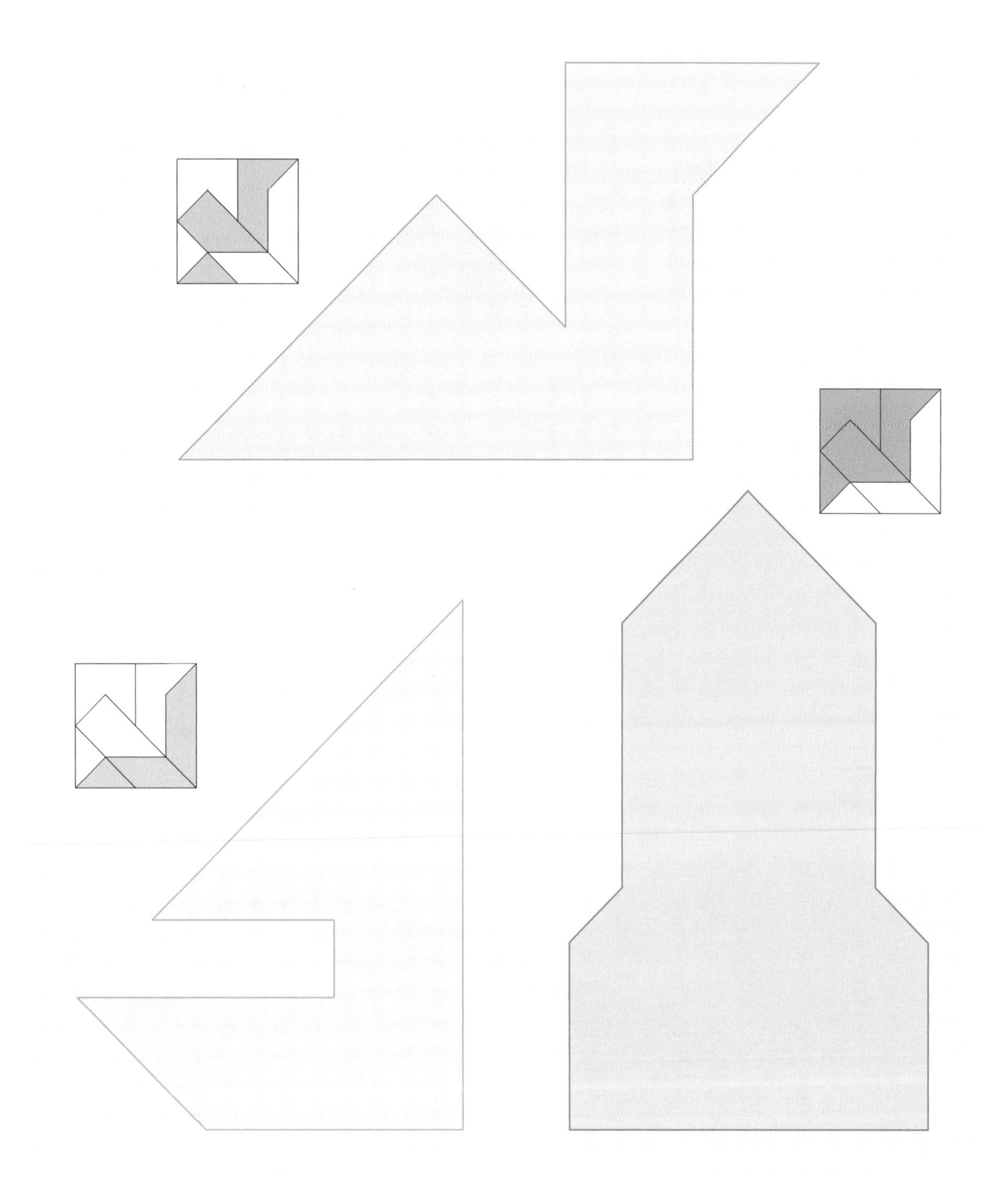

여우 만들기

색칠된 칠교 **5**조각을 사용하여 여우를 만들어 보세요.

02 도형 만들기

연관 활동: 탱그램 카드

초등 교과와 칠교

칠교는 삼각형 5조각과 사각형 2조각으로 이루어진 퍼즐로 동물, 식물, 사물 등 다양한 모양을 만들 수 있습니다. 또한 조각을 붙여 여러 가지 도형을 만들 수도 있어 도형 개념을 익히는 데 유용하게 활용할 수 있습니다.

칠교는 초등 수학 교과서에서도 다루고 있습니다. 2학년 1학기 교과서에는 칠교를 삼각형과 사각형으로 분류해 보고 조각을 붙여 삼각형, 사각형 등의 다각형을 만들어 보는 활동이 나와 있습니다.

칠교는 재미있는 모양과 도형을 만드는 과정에서 공간감각과 창의력이 길러지기 때문에 수학 학습에서 많이 다루는 중요한 학습 교구입니다.

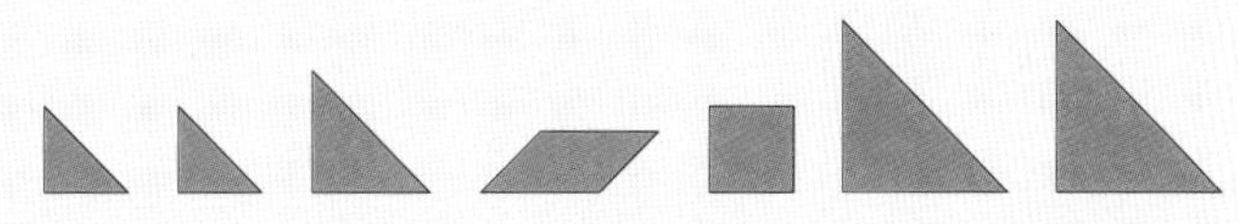

칠교 7조각

세모 만들기

준비물 입체 칠교, 입체 볼로

✕ 색칠된 칠교 또는 볼로 조각을 사용하여 세모 모양을 빈틈없이 채워 보세요.

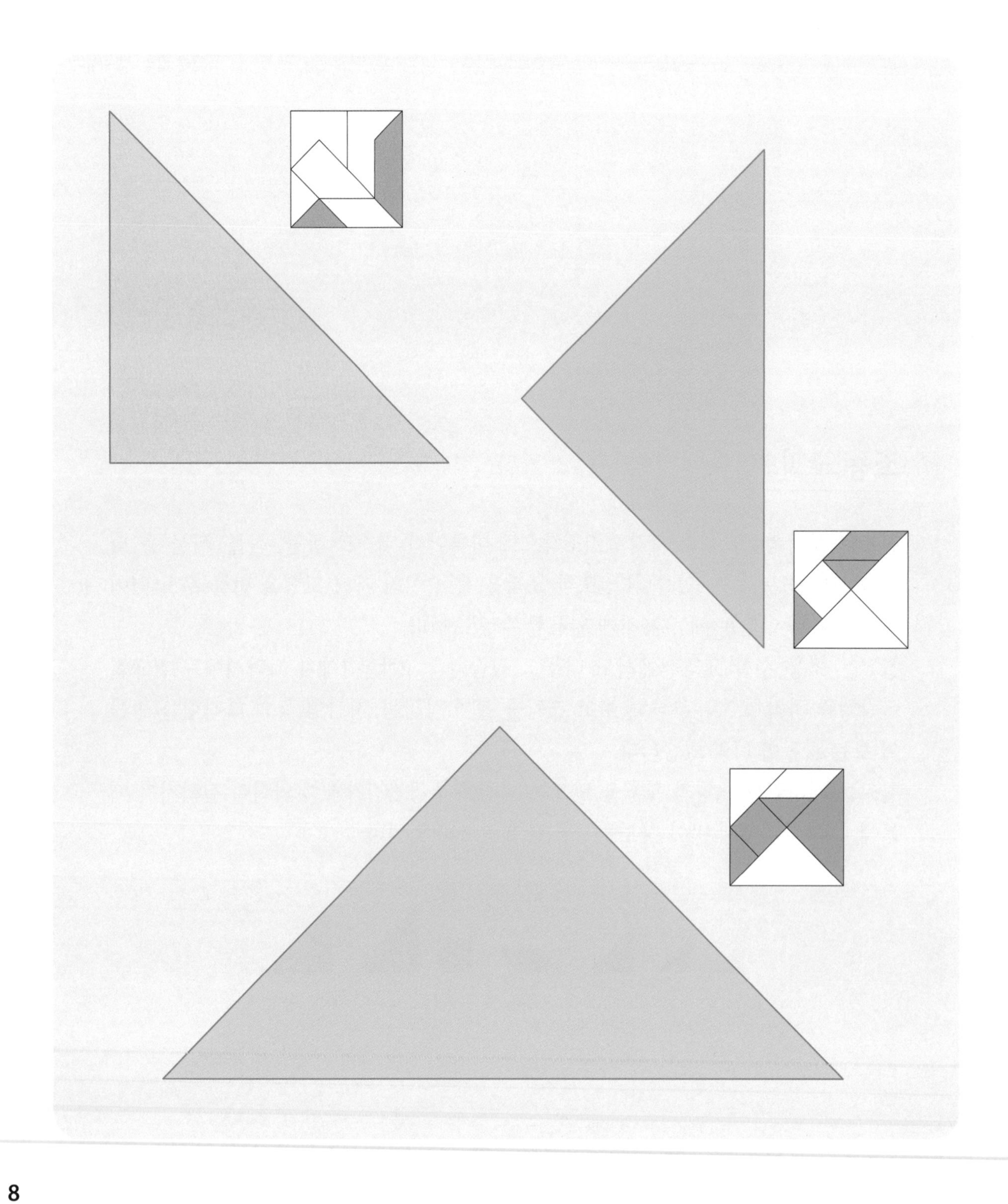

네모 만들기

준비물 입체 칠교, 입체 볼로

색칠된 칠교 또는 볼로 조각을 사용하여 네모 모양을 빈틈없이 채워 보세요.

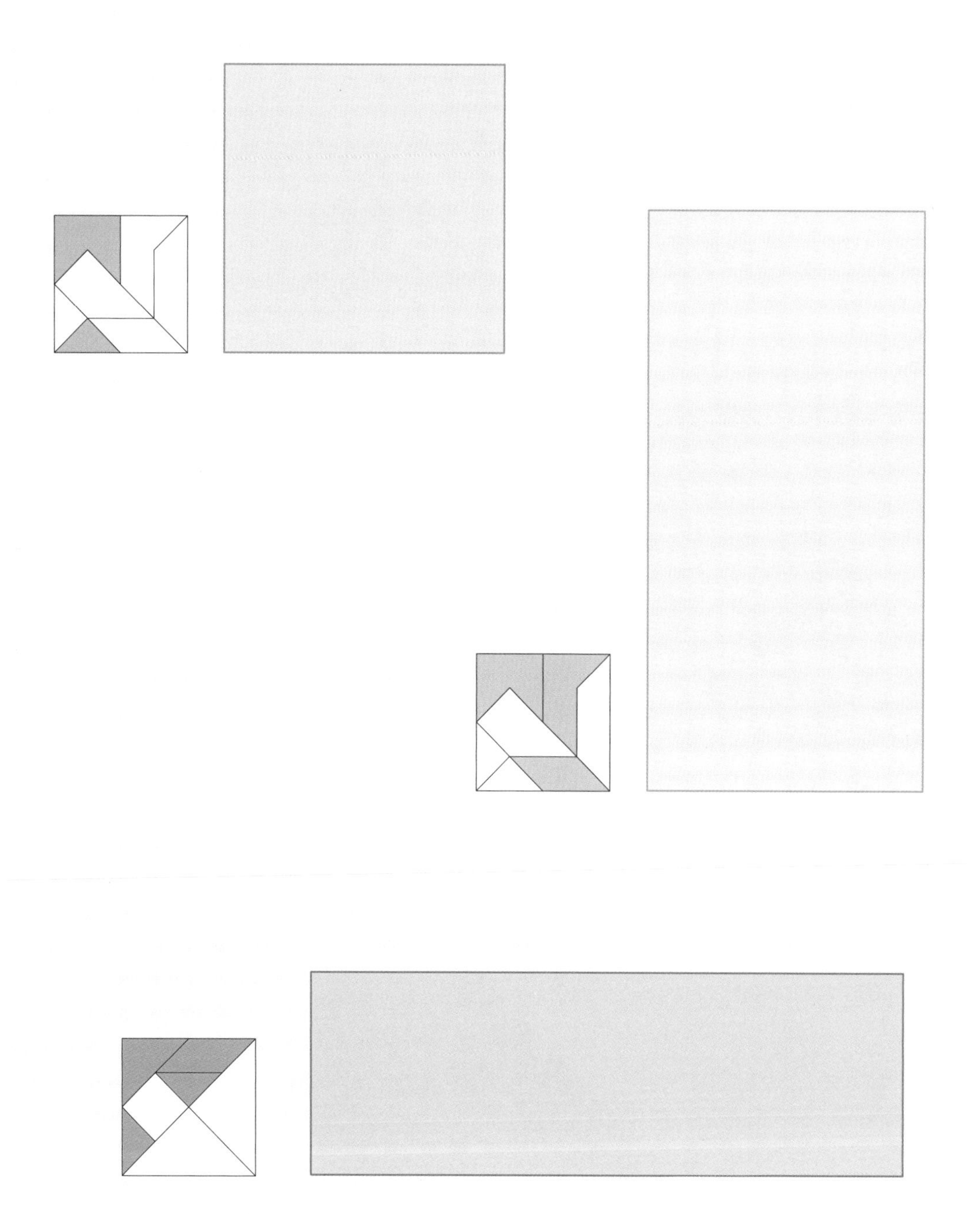

세모 완성하기

준비물 입체 칠교, 스티커

칠교와 볼로 조각으로 세모 모양 **3**개를 만들고 있습니다. 칠교 **1**조각씩을 더 놓아 세모 모양을 완성하고 스티커를 붙여 보세요.

네모 완성하기

준비물 입체 볼로, 스티커

칠교와 볼로 조각으로 네모 모양 **3**개를 만들고 있습니다. 볼로 **1**조각씩을 더 놓아 네모 모양을 완성하고 스티커를 붙여 보세요.

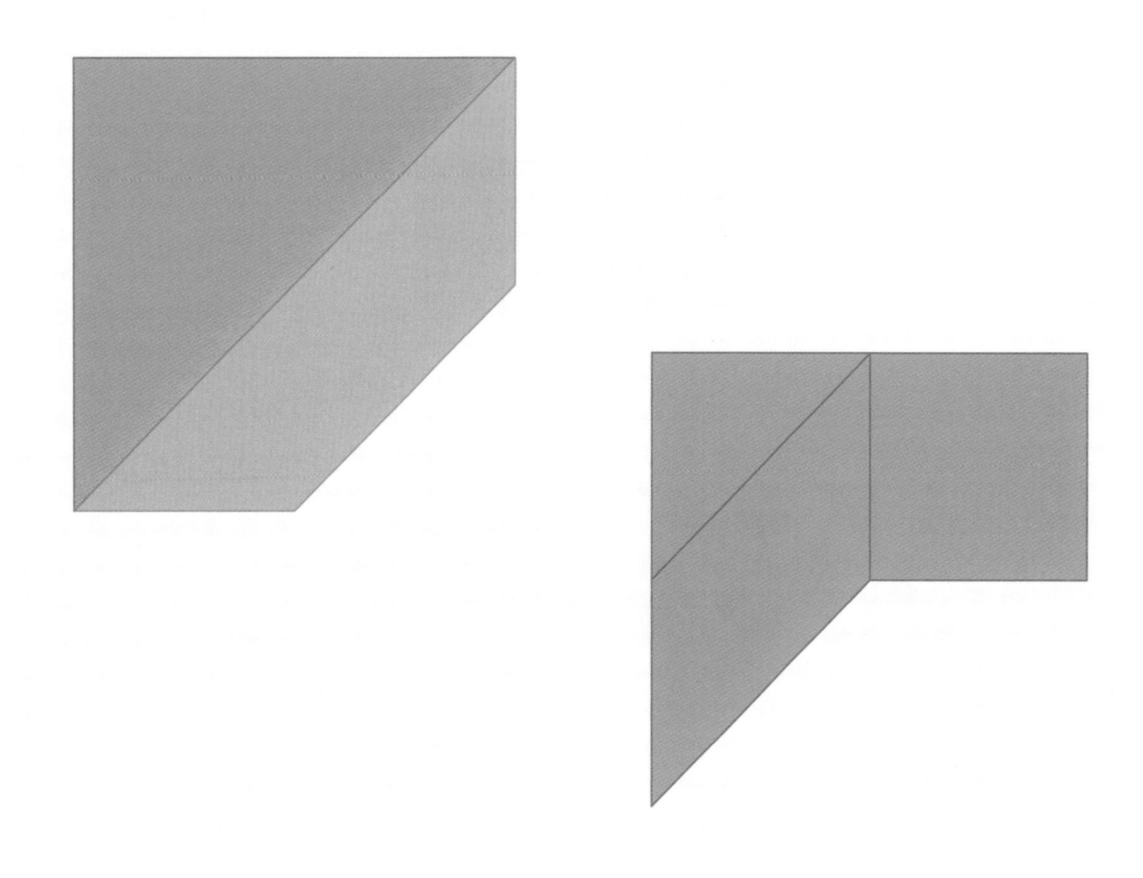

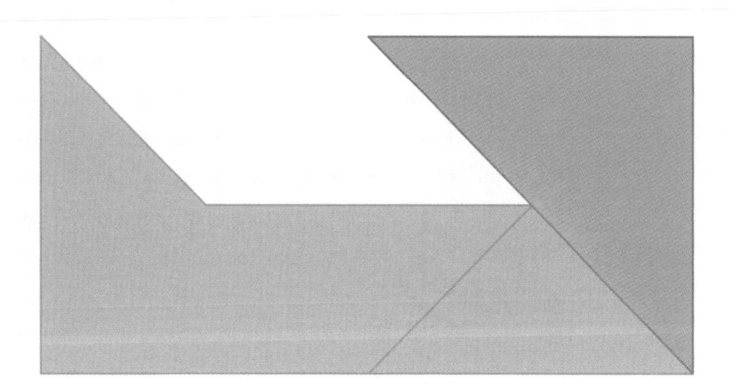

세모와 네모

칠교와 볼로 조각으로 여러 가지 세모와 네모 모양을 만들어 봅시다.

폴리탄 교구 활동

준비물 입체 칠교, 입체 볼로

1 입체 칠교와 입체 볼로를 준비합니다.

2 조각을 2개 이상 붙여 세모 또는 네모 모양을 여러 개 만들어 봅니다.

난 **2**조각으로
세모 모양을 만들었어.

난 **4**조각으로
네모 모양을 만들었어.

다른 조각으로 세모와 네모
모양을 더 만들어 볼까?

03 밸런스

연관 활동: 밸런스 카드

삼각형을 붙여 만든 도형

칠교는 삼각형과 사각형 조각으로 구성된 퍼즐로 각 조각은 칠교의 가장 작은 삼각형 1개, 2개 또는 4개를 붙여서 만들 수 있습니다.

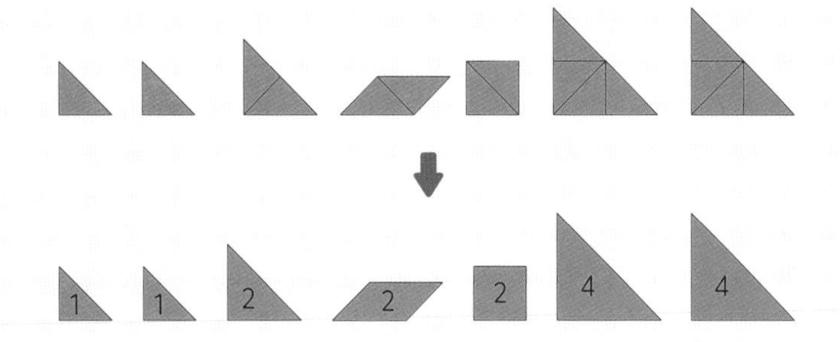

위와 같이 중간 크기의 삼각형과 사각형 2개는 가장 작은 삼각형의 2배, 가장 큰 삼각형은 가장 작은 삼각형의 4배입니다. 그리고 칠교 7조각을 붙여 정사각형을 만들면 정사각형은 가장 작은 삼각형의 16배가 됩니다.

1

16

한 줄로 쌓기

준비물 입체 칠교, 입체 볼로

주어진 칠교 또는 볼로 조각을 한 줄로 높이 쌓아 보세요. 단, 조각을 쌓았을 때 앞면은 모두 색깔이 보여야 합니다.

쌓을 수 있는 모양

※ 입체 조각을 위로 쌓았습니다. 쌓을 수 있는 모양에는 ○표, 쌓을 수 없는 모양에는 X표 하세요.

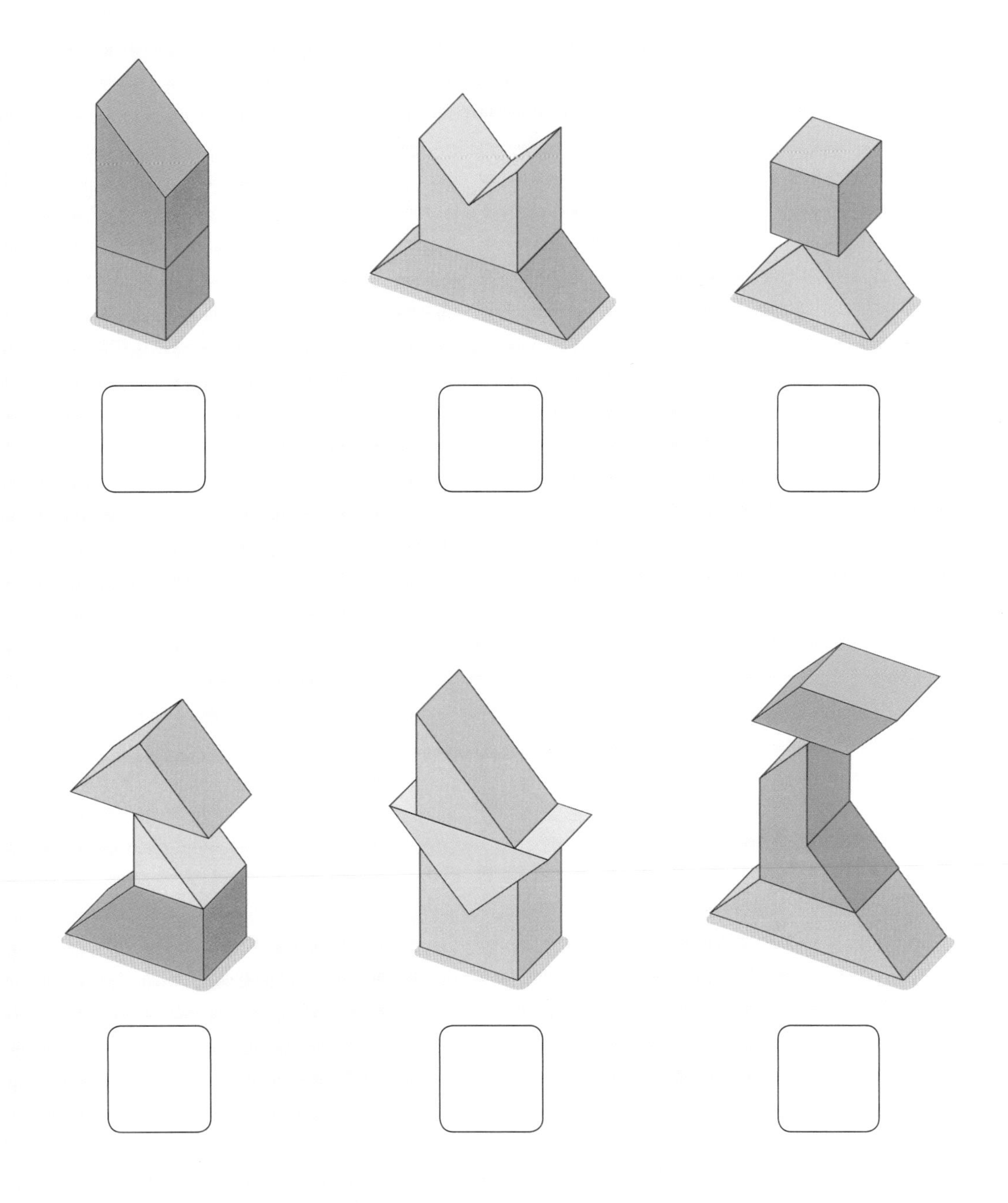

똑같이 쌓기

준비물 입체 칠교, 입체 볼로

색칠된 칠교와 볼로 조각을 사용하여 다음 모양과 같이 위로 쌓아 보세요. 단, 조각을 쌓았을 때 앞면은 모두 색깔이 보여야 합니다.

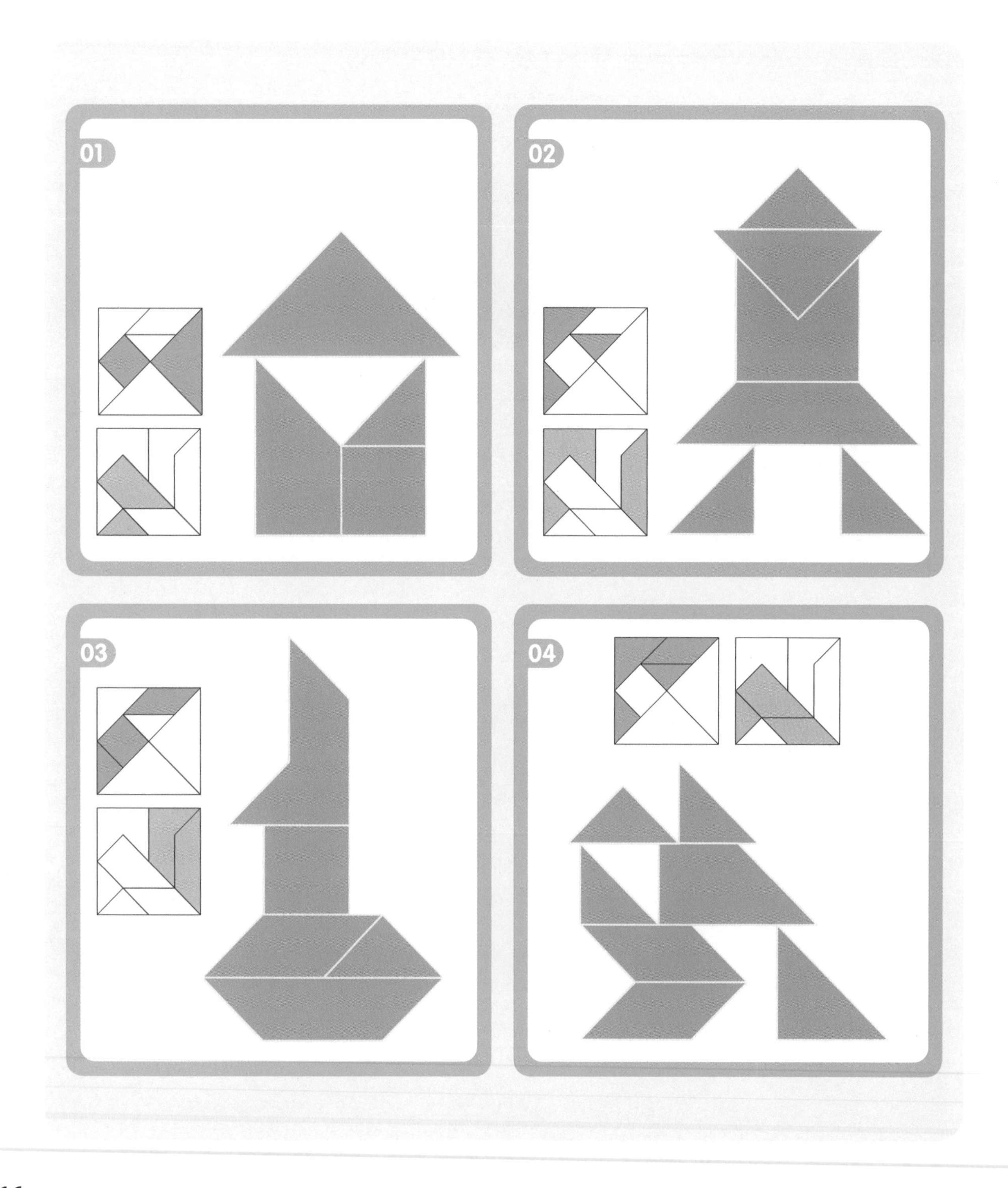

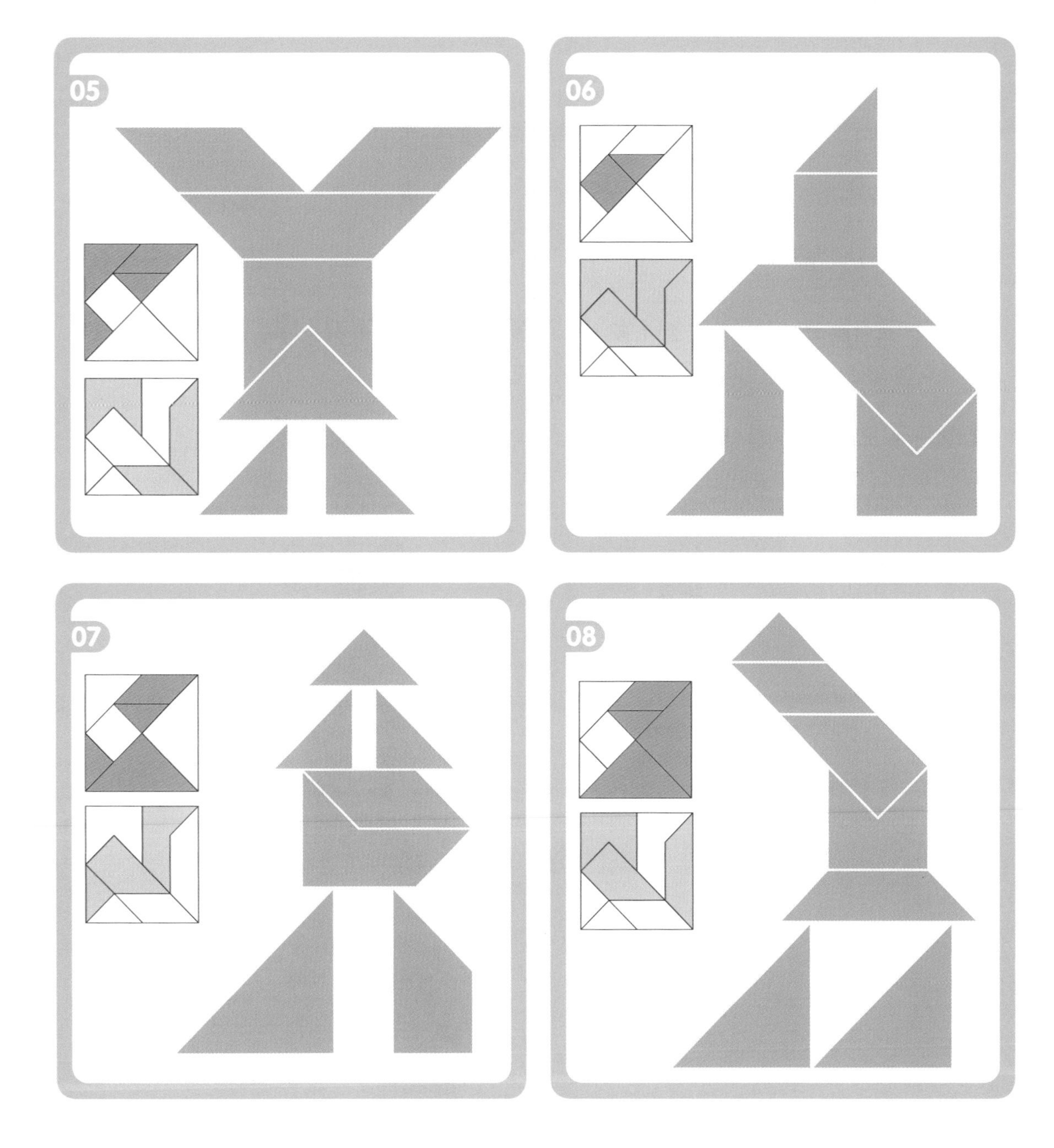
05
06
07
08

높이 쌓기

✖ 칠교와 볼로 조각을 높이 쌓아 봅시다.

폴리탄 교구 활동

준비물 입체 칠교, 입체 볼로

1 입체 칠교와 입체 볼로를 준비합니다.

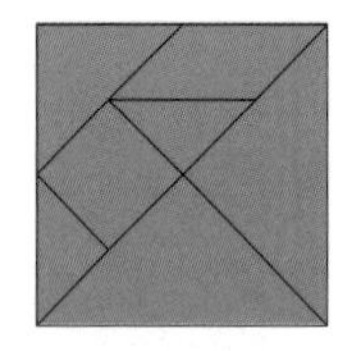
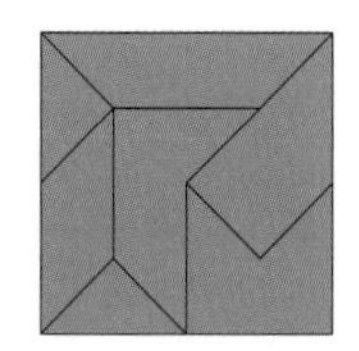

2 칠교 7조각을 모두 사용하여 높이 쌓아 보고, 볼로 7조각을 모두 사용하여 높이 쌓아 봅니다. 조각을 쌓았을 때 앞면은 모두 색깔이 보여야 합니다.

3 쌓은 두 모양의 높이를 비교해 봅니다.

칠교와 볼로로 각각
높이 쌓아 보자.

어떤 모양이
더 높을까?

04 아키텍쳐

연관 활동: 아키텍쳐 카드

색종이로 칠교 만들기

칠교는 정사각형을 7조각으로 잘라 만든 퍼즐로 색종이를 잘라 칠교를 만들 수 있습니다. 다음은 색종이로 칠교를 만드는 방법입니다.

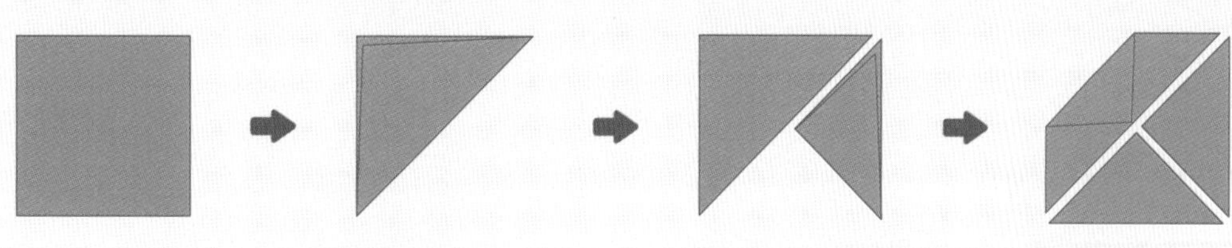

색종이를 준비합니다.

대각선 방향으로 접었다 펼친 다음 접은 선을 따라 자릅니다.

자른 삼각형 중 하나를 반으로 접었다 펼친 다음 접은 선을 따라 자릅니다.

큰 삼각형을 위와 같이 접었다 펼친 다음 접은 선을 따라 자릅니다.

가운데 사각형을 반으로 접었다 펼친 다음 접은 선을 따라 자릅니다.

두 사각형을 각각 위와 같이 접었다 펼친 다음 접은 선을 따라 자릅니다.

칠교 7조각이 완성됩니다.

다른 곳 찾기 1

양쪽 모양에서 서로 다른 곳을 1군데 찾아 오른쪽 모양에 ○표 하세요.

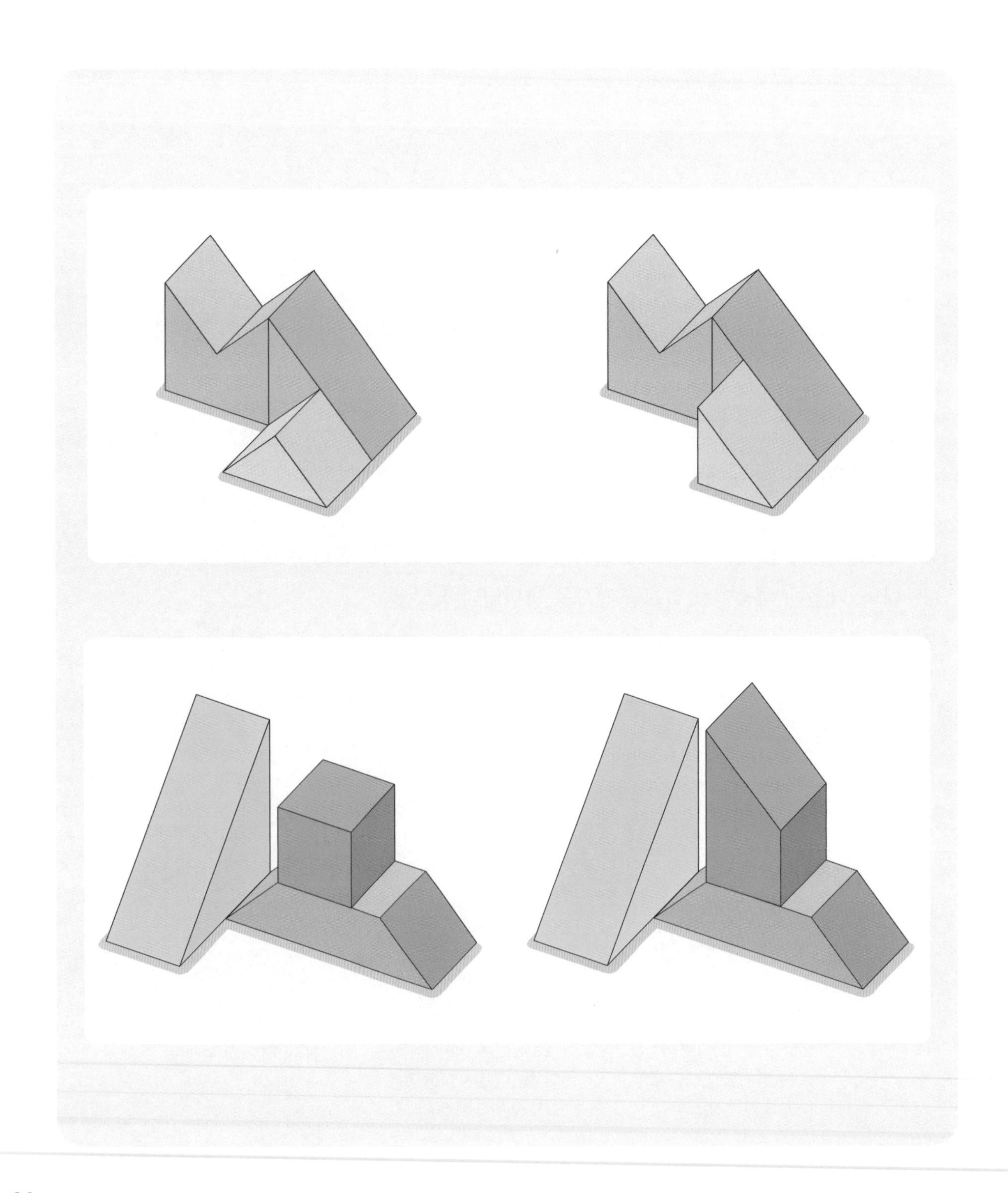

✕ 양쪽 모양에서 서로 다른 곳을 **2**군데 찾아 오른쪽 모양에 ○표 하세요.

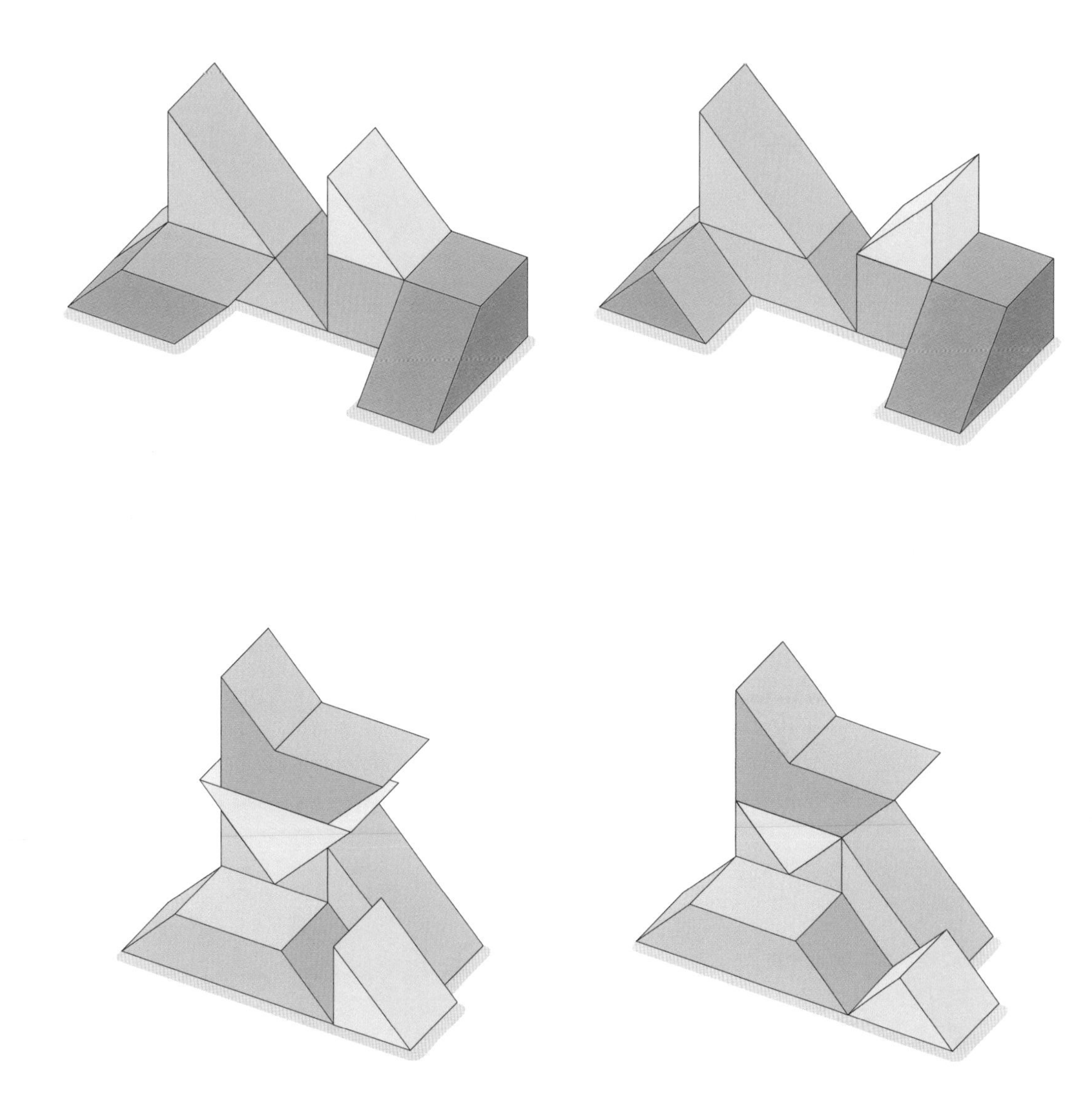

사용하지 않은 조각

입체 조각으로 여러 가지 모양을 만들었습니다. 사용하지 않은 조각을 찾아 X표 하세요.

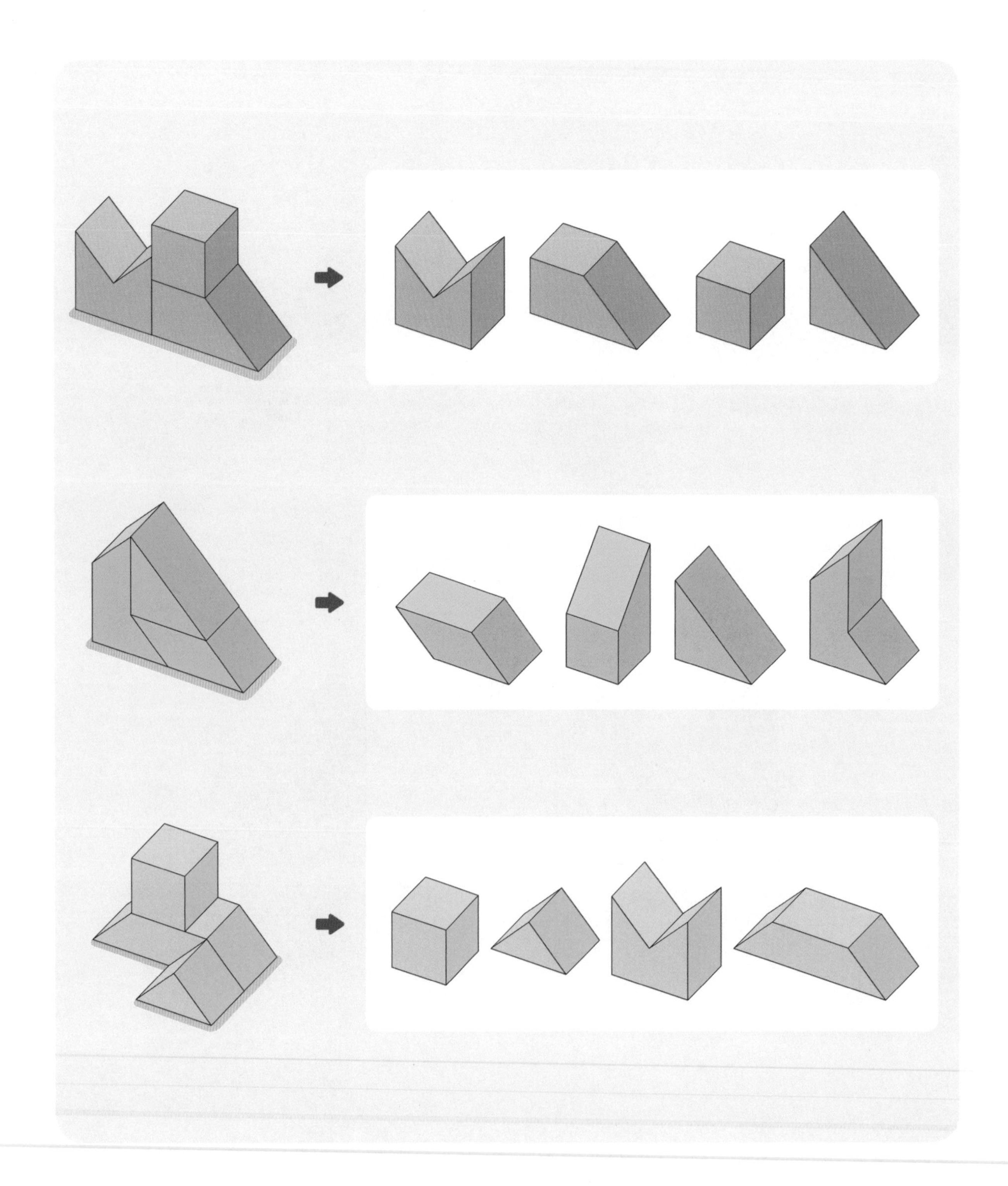

똑같이 만들기

준비물 입체 칠교, 입체 볼로

색칠된 칠교 또는 볼로 조각을 사용하여 다음 입체 모양을 똑같이 만들어 보세요. 조각은 눕히거나 세우는 것 모두 가능합니다.

조각을 이리저리 돌려 가며 모양을 만들어.

어둠 속의 입체

준비물 입체 칠교, 입체 볼로

입체 모양을 어두운 밤에 보았더니 조각끼리 맞닿은 선이 잘 보이지 않습니다. 색칠된 칠교 또는 볼로 조각을 사용하여 다음 입체 모양을 똑같이 만들어 보세요.

어두워서 잘 보이지
않아. 조각을 어떻게
붙였을까?

정 답

폴리탄 A

폴리탄 A

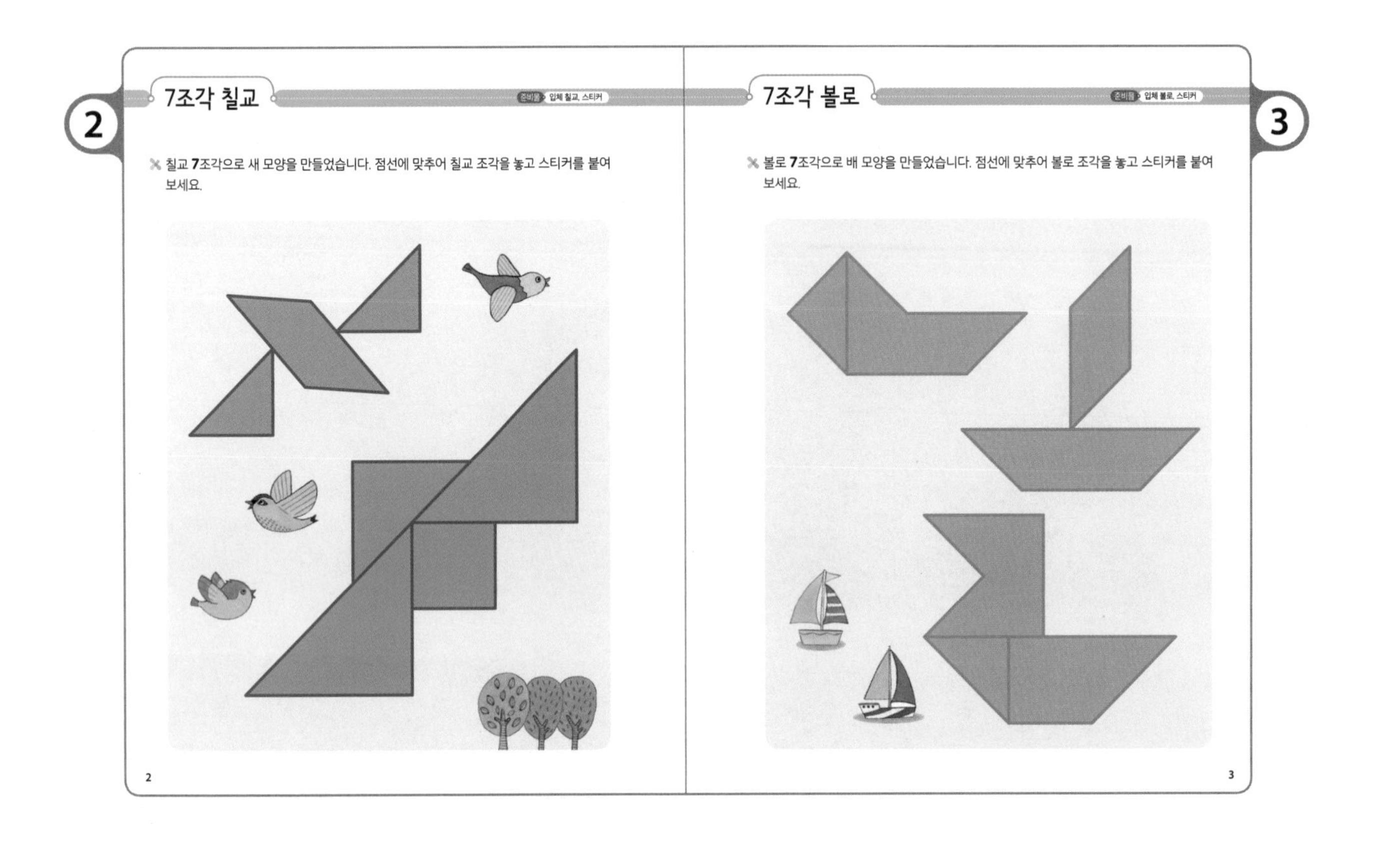
2
7조각 칠교
준비물 입체 칠교, 스티커
칠교 7조각으로 새 모양을 만들었습니다. 점선에 맞추어 칠교 조각을 놓고 스티커를 붙여 보세요.
2
3
7조각 볼로
준비물 입체 볼로, 스티커
볼로 7조각으로 배 모양을 만들었습니다. 점선에 맞추어 볼로 조각을 놓고 스티커를 붙여 보세요.
3

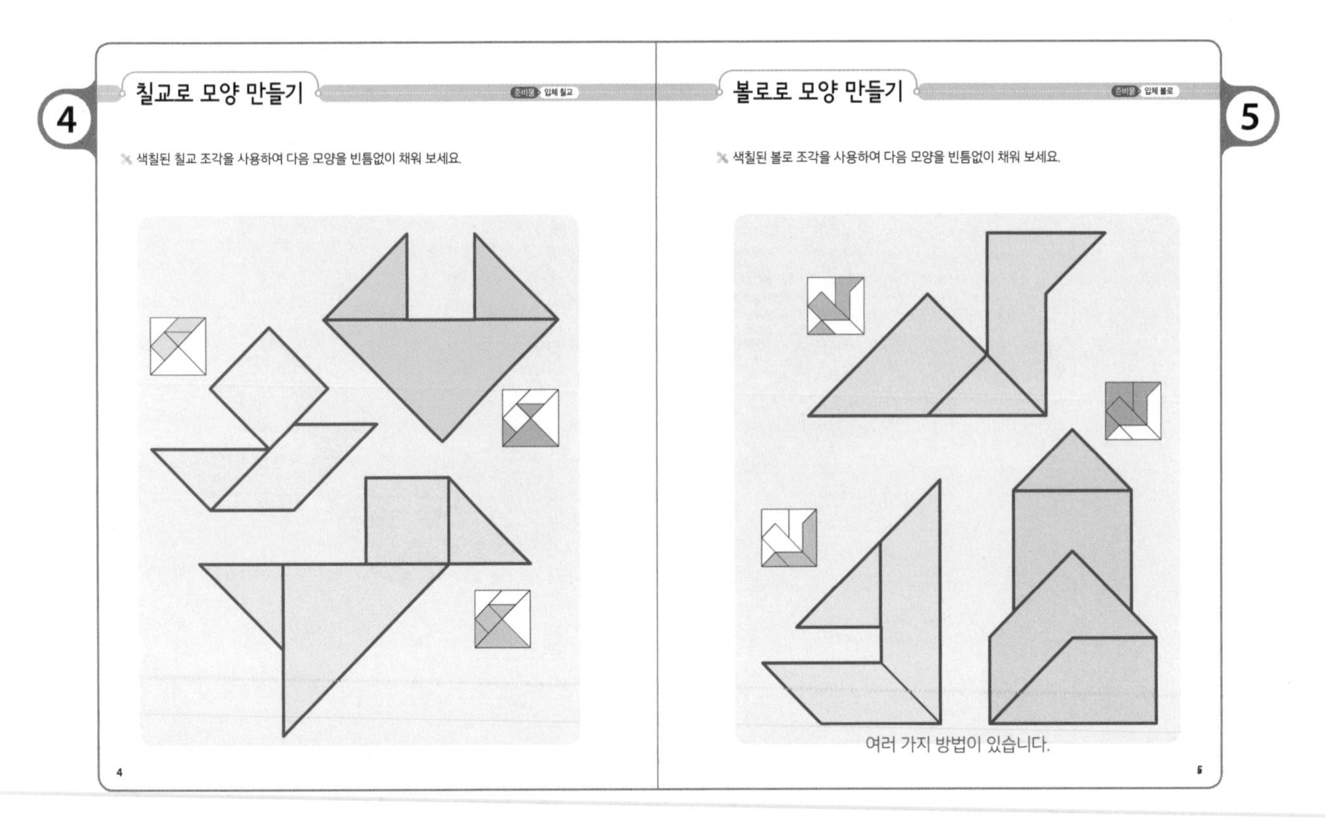
4
칠교로 모양 만들기
준비물 입체 칠교
색칠된 칠교 조각을 사용하여 다음 모양을 빈틈없이 채워 보세요.
4
5
볼로로 모양 만들기
준비물 입체 볼로
색칠된 볼로 조각을 사용하여 다음 모양을 빈틈없이 채워 보세요.
여러 가지 방법이 있습니다.
5

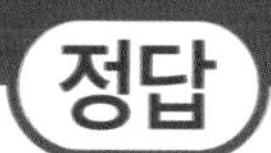
정답

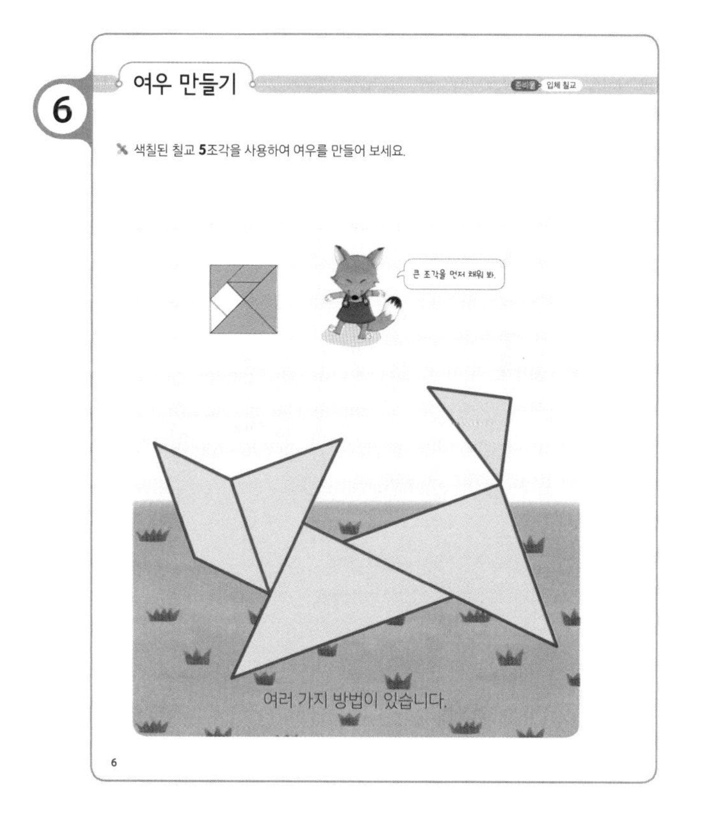
6
여우 만들기
준비물 입체 칠교
색칠된 칠교 5조각을 사용하여 여우를 만들어 보세요.
큰 조각을 먼저 채워 봐.
여러 가지 방법이 있습니다.
6

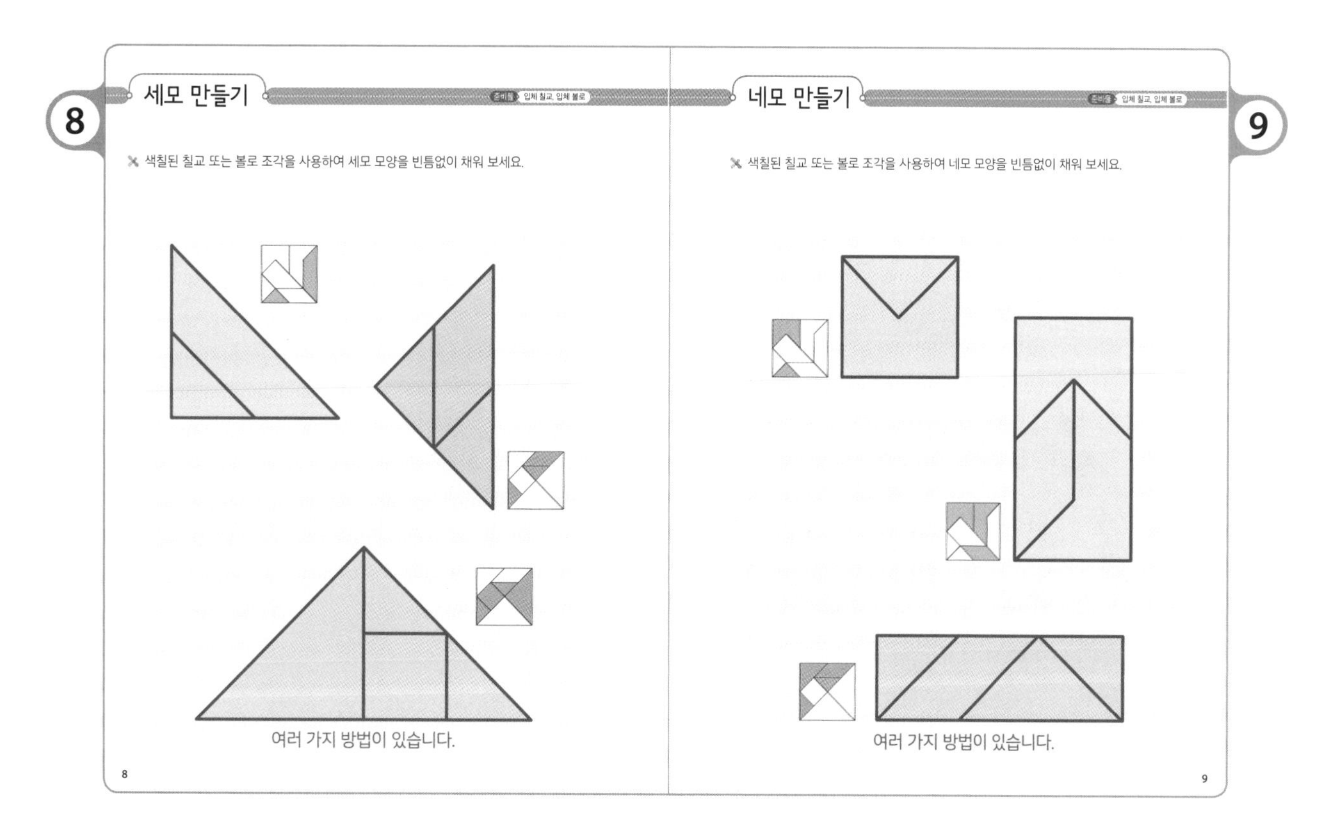
8
세모 만들기
준비물 입체 칠교, 입체 볼로
색칠된 칠교 또는 볼로 조각을 사용하여 세모 모양을 빈틈없이 채워 보세요.
여러 가지 방법이 있습니다.
8
네모 만들기
준비물 입체 칠교, 입체 볼로
9
색칠된 칠교 또는 볼로 조각을 사용하여 네모 모양을 빈틈없이 채워 보세요.
여러 가지 방법이 있습니다.
9

폴리탄 A

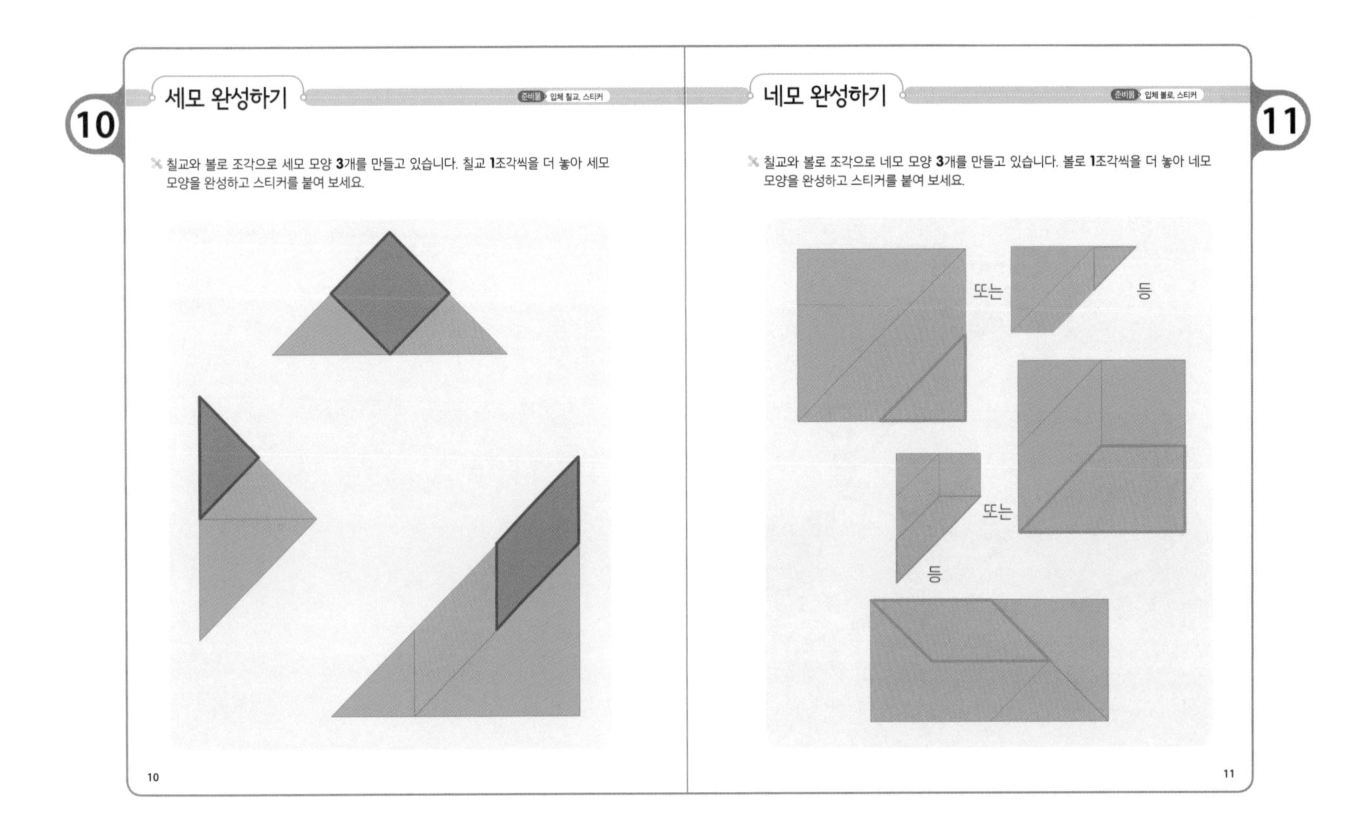
10
세모 완성하기
준비물 입체 칠교, 스티커
칠교와 볼로 조각으로 세모 모양 3개를 만들고 있습니다. 칠교 1조각씩을 더 놓아 세모 모양을 완성하고 스티커를 붙여 보세요.
10
11
네모 완성하기
준비물 입체 볼로, 스티커
칠교와 볼로 조각으로 네모 모양 3개를 만들고 있습니다. 볼로 1조각씩을 더 놓아 네모 모양을 완성하고 스티커를 붙여 보세요.
또는
등
또는
등
11

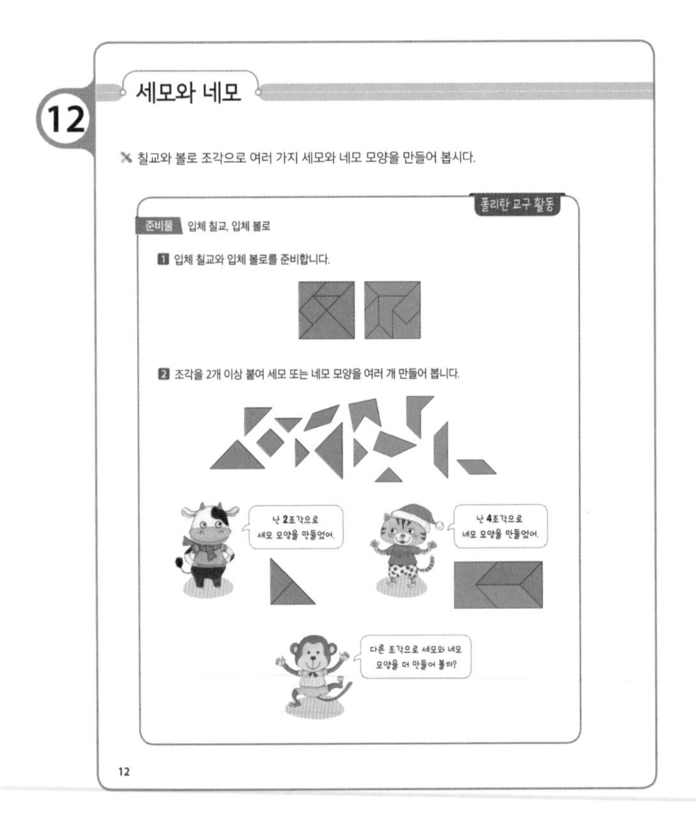
12
세모와 네모
칠교와 볼로 조각으로 여러 가지 세모와 네모 모양을 만들어 봅시다.
폴리탄 교구 활동
준비물 입체 칠교, 입체 볼로
1 입체 칠교와 입체 볼로를 준비합니다.
2 조각을 2개 이상 붙여 세모 또는 네모 모양을 여러 개 만들어 봅니다.
난 2조각으로 세모 모양을 만들었어.
난 4조각으로 네모 모양을 만들었어.
다른 조각으로 세모와 네모 모양을 더 만들어 볼까?
12

정답

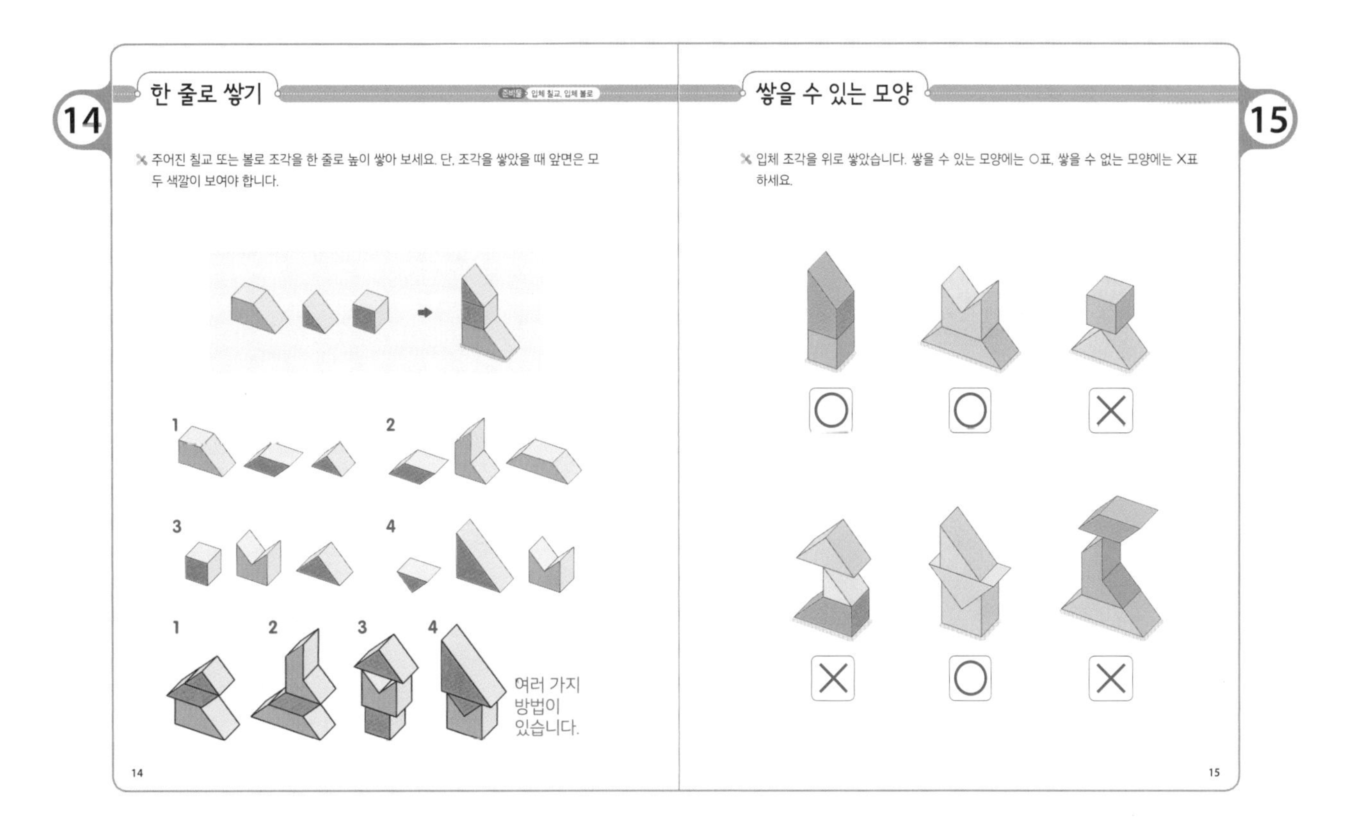
14
한 줄로 쌓기
준비물 입체 칠교, 입체 볼로
주어진 칠교 또는 볼로 조각을 한 줄로 높이 쌓아 보세요. 단, 조각을 쌓았을 때 앞면은 모두 색깔이 보여야 합니다.
1
2
3
4
1
2
3
4
여러 가지 방법이 있습니다.
14
15
쌓을 수 있는 모양
입체 조각을 위로 쌓았습니다. 쌓을 수 있는 모양에는 ○표, 쌓을 수 없는 모양에는 X표 하세요.
15

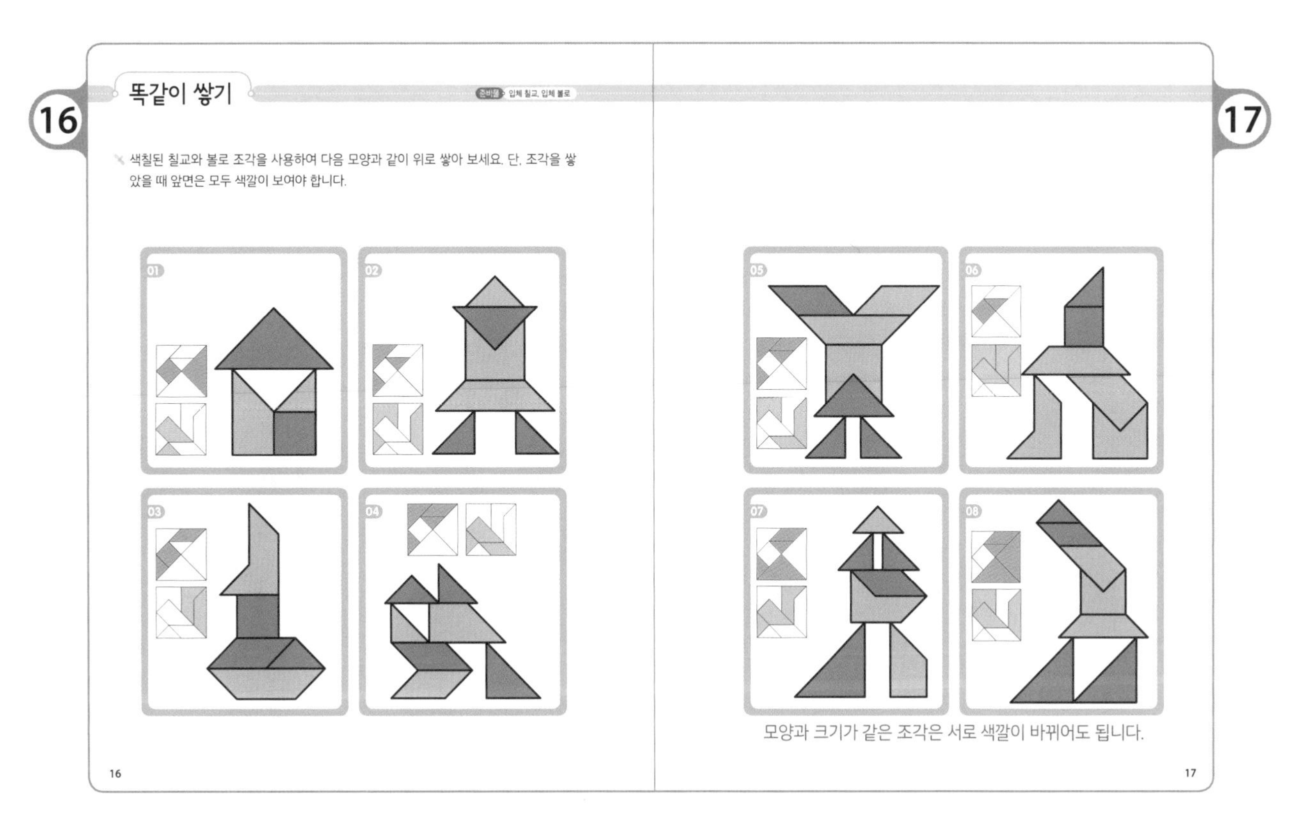
16
똑같이 쌓기
준비물 입체 칠교, 입체 볼로
색칠된 칠교와 볼로 조각을 사용하여 다음 모양과 같이 위로 쌓아 보세요. 단, 조각을 쌓았을 때 앞면은 모두 색깔이 보여야 합니다.
01
02
03
04
17
05
06
07
08
모양과 크기가 같은 조각은 서로 색깔이 바뀌어도 됩니다.
16
17

폴리탄 A

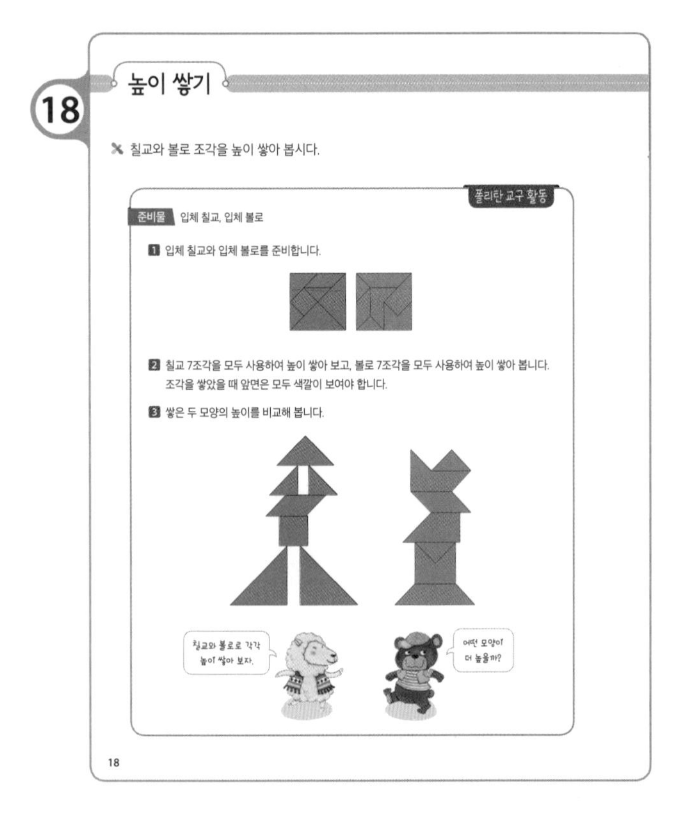
18 높이 쌓기

칠교와 볼로 조각을 높이 쌓아 봅시다.

폴리탄 교구 활동

준비물 입체 칠교, 입체 볼로

1 입체 칠교와 입체 볼로를 준비합니다.

2 칠교 7조각을 모두 사용하여 높이 쌓아 보고, 볼로 7조각을 모두 사용하여 높이 쌓아 봅니다. 조각을 쌓았을 때 앞면은 모두 색깔이 보여야 합니다.

3 쌓은 두 모양의 높이를 비교해 봅니다.

칠교와 볼로로 각각 높이 쌓아 보자.
어떤 모양이 더 높을까?

18

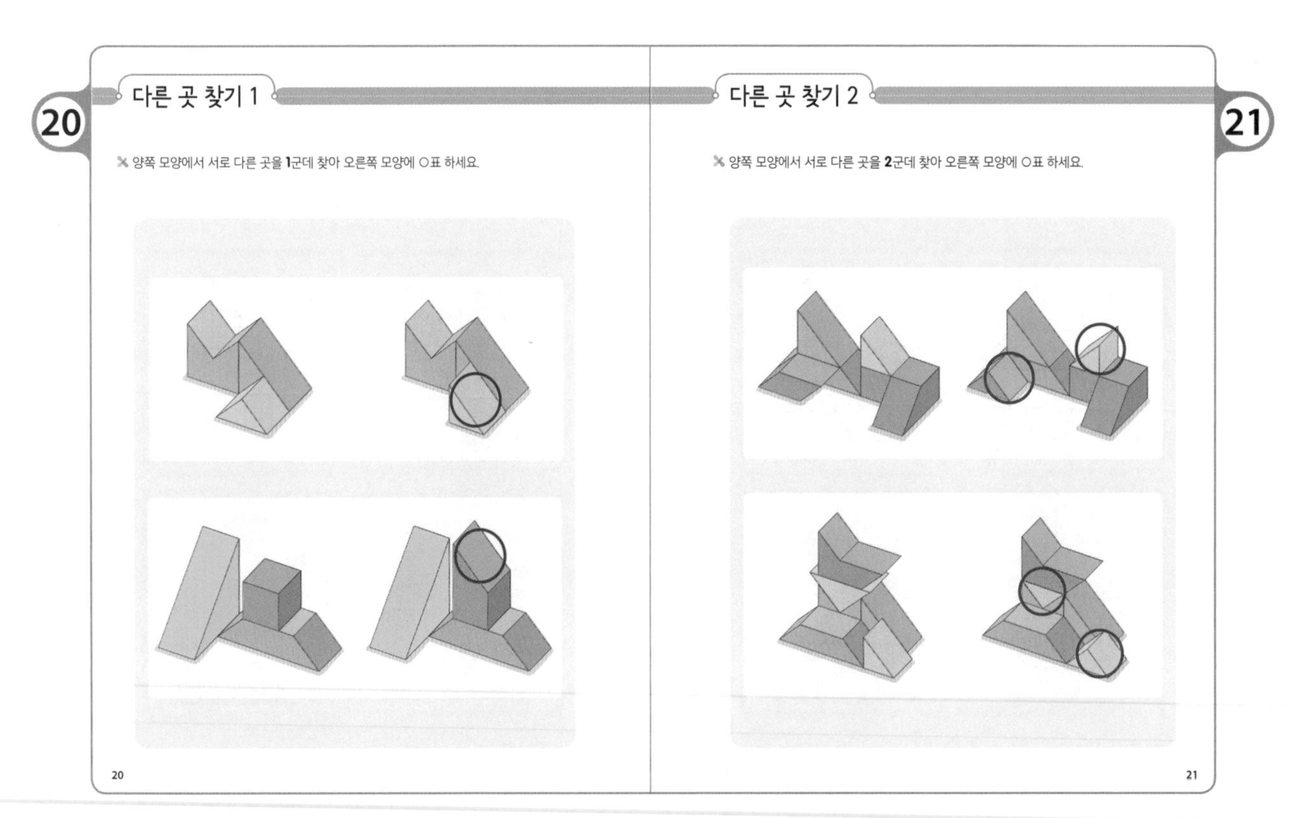
20 다른 곳 찾기 1

양쪽 모양에서 서로 다른 곳을 1군데 찾아 오른쪽 모양에 ○표 하세요.

21 다른 곳 찾기 2

양쪽 모양에서 서로 다른 곳을 2군데 찾아 오른쪽 모양에 ○표 하세요.

20

21

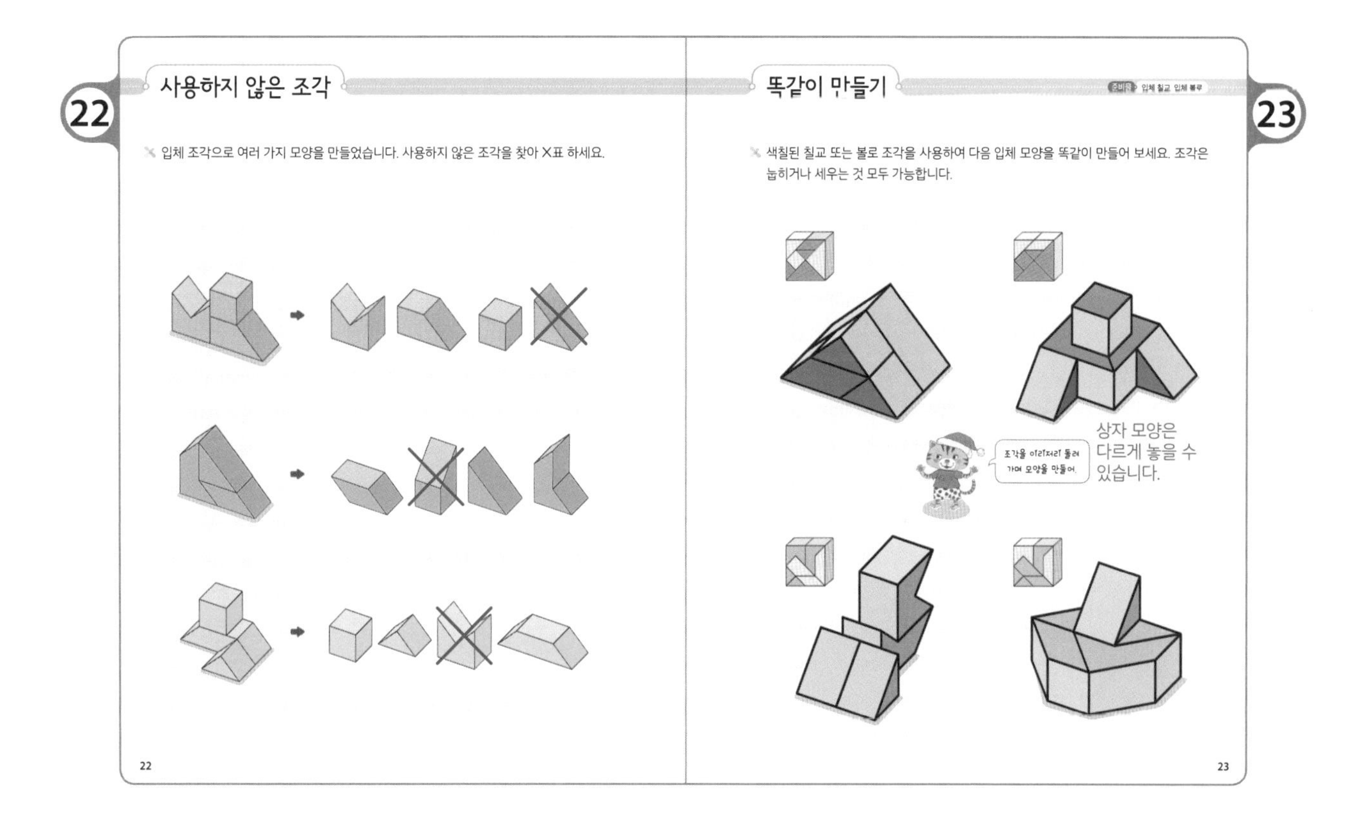

22

사용하지 않은 조각

입체 조각으로 여러 가지 모양을 만들었습니다. 사용하지 않은 조각을 찾아 X표 하세요.

22

23

똑같이 만들기

준비물 입체 칠교, 입체 블루

색칠된 칠교 또는 블로 조각을 사용하여 다음 입체 모양을 똑같이 만들어 보세요. 조각은 눕히거나 세우는 것 모두 가능합니다.

조각을 이리저리 돌려 가며 모양을 만들어.

상자 모양은 다르게 놓을 수 있습니다.

23

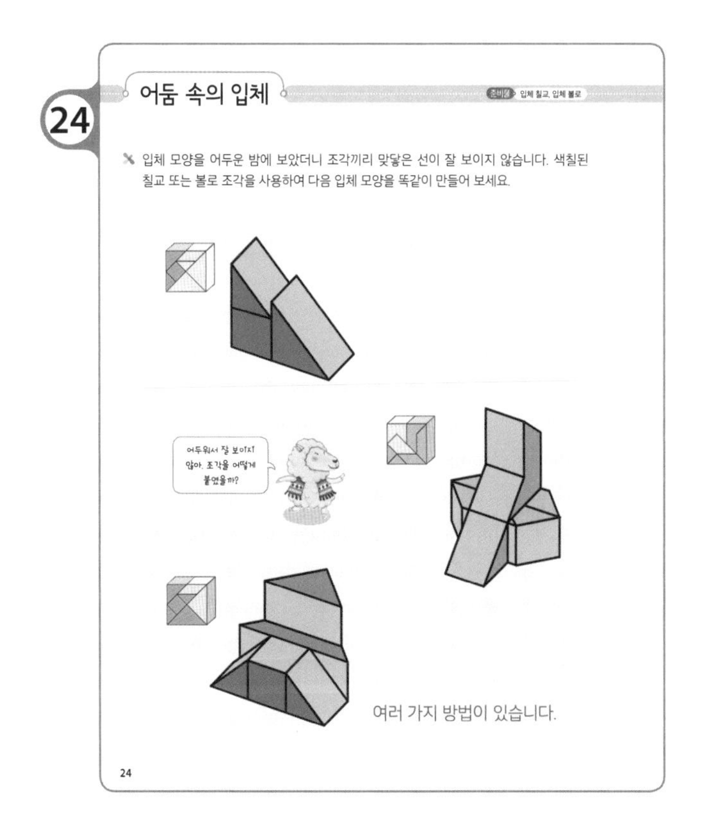

24

어둠 속의 입체

준비물 입체 칠교, 입체 블로

입체 모양을 어두운 밤에 보았더니 조각끼리 맞닿은 선이 잘 보이지 않습니다. 색칠된 칠교 또는 블로 조각을 사용하여 다음 입체 모양을 똑같이 만들어 보세요.

어두워서 잘 보이지 않아. 조각을 어떻게 붙였을까?

여러 가지 방법이 있습니다.

24

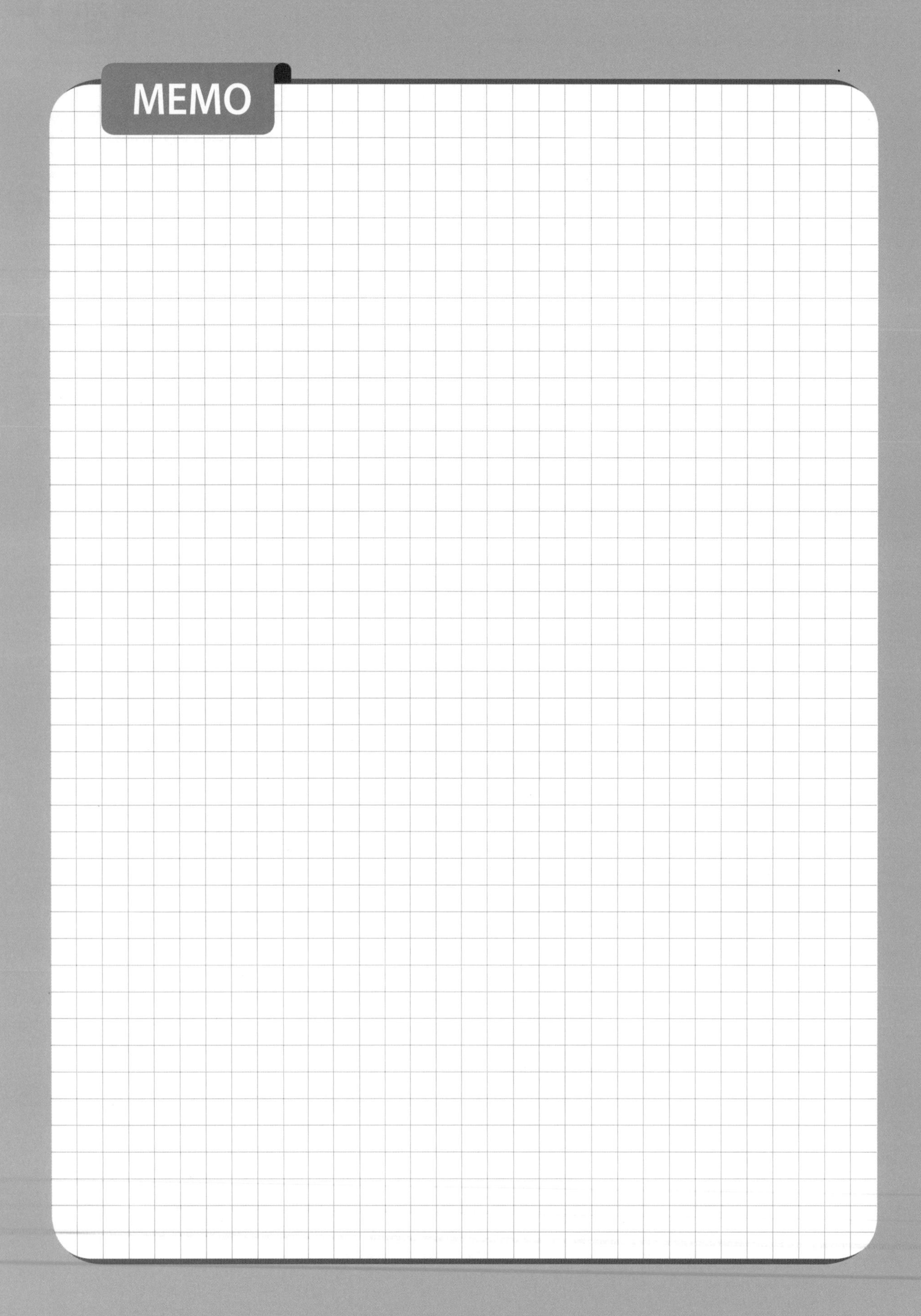
MEMO

폴리탄 A

초등 수학 교구 상자

펜토미노턴

평면 공간감각을 길러주는 회전 펜토미노 퍼즐

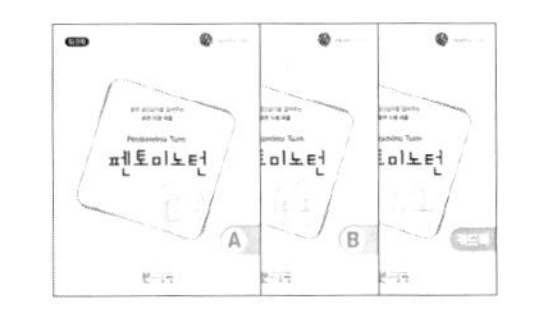

초등학생들이 어려워하는 '평면도형의 이동'을 펜토미노와 패턴 블록으로 도형을 직접 돌려보며 재미있게 해결하는 공간감각 퍼즐입니다.

큐브빌드

입체 공간감각을 길러주는 멀티큐브 퍼즐

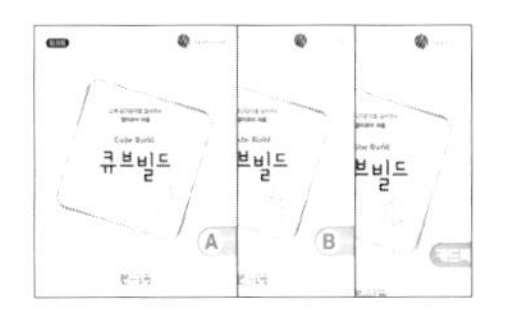

머릿속으로 그리기 어려운 입체도형을 쌓기나무와 멀티큐브를 이용하여 직접 만들어 위, 앞, 옆 모양을 관찰하고, 다양한 입체 모양을 만드는 공간감각 퍼즐입니다.

폴리탄

도형감각을 길러주는 **입체 칠교** 퍼즐

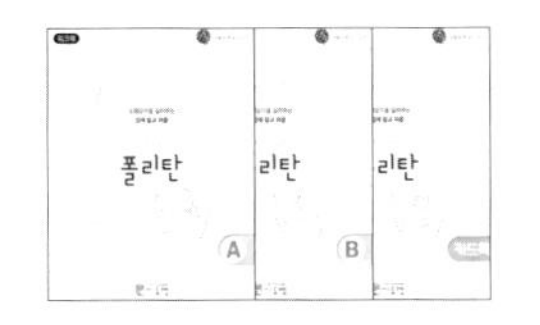

정사각형을 7조각으로 자른 '입체 칠교'와 직각이등변삼각형을 붙인 '입체 볼로'를 활용하여 평면뿐만 아니라 다양한 입체도형 문제를 해결하는 퍼즐입니다.

트랜스넘버

자유자재로 식을 만드는 멀티 숫자 퍼즐

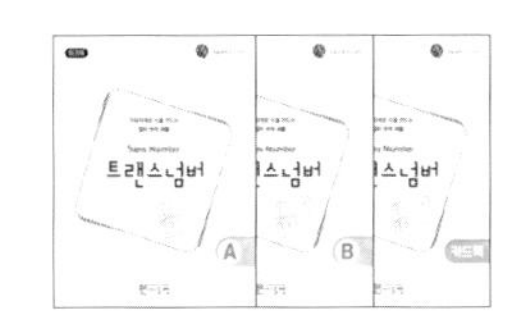

자유자재로 식을 만들고 이를 변형, 응용하는 활동을 통해 연산 원리와 연산감각을 길러주는 멀티 숫자 퍼즐입니다.

머긴스빙고

수 감각을 길러주는 **창의 연산** 보드 게임

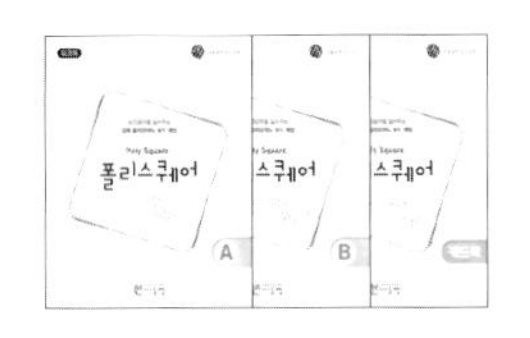

빙고 게임과 머긴스 게임을 활용하여 수 감각과 연산 능력을 끌어올리고 전략적 사고를 키우는 사고력 보드 게임입니다.

폴리스퀘어

공간감각을 길러주는 **입체 폴리오미노** 보드 게임

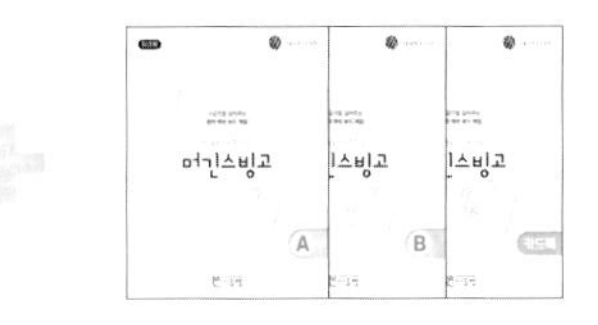

모노미노부터 펜토미노까지의 폴리오미노를 이용하여 다양한 모양을 만들어 보고, 공간을 차지하는 게임으로 공간감각을 키우는 공간점령 보드 게임입니다.

큐보이드

입체를 펼치고 접는 **공간 전개도** 퍼즐

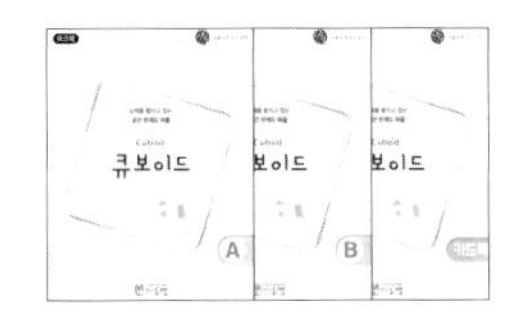

여러 가지 모양의 면을 자유롭게 연결하여 접었다 펼치는 활동을 통해 직육면체 전개도의 모든 것을 알아보는 공간 전개도 퍼즐입니다.

I hear and I forget 듣기만 한 것은 잊어버리고

I see and I remember 본 것은 기억되지만

I do and I understand 직접 해 본 것은 이해가 된다

Poly Tan

폴리탄

펴낸곳: ㈜씨투엠에듀 **발행인**: 한헌조

모델명: 필즈엠_폴리탄
제조년월: 2020년 8월
주소 및 전화번호: 경기도 수원시 장안구 파장로 7(태영빌딩 3층) / 031-548-1191
제조국명: 한국

워크북

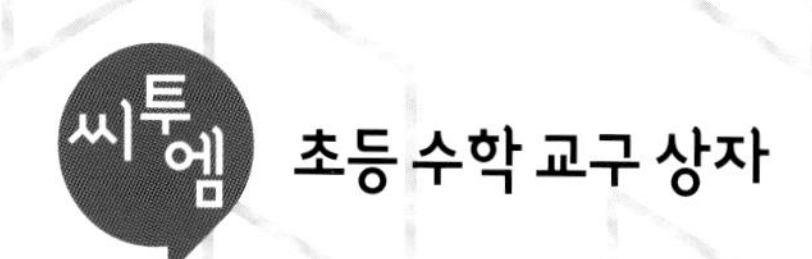

도형감각을 길러주는

입체 칠교 퍼즐

Poly Tan

폴리탄

차 례

01 탱그램

연관 활동: 탱그램 카드

칠교와 볼로의 구성

입체 칠교와 입체 볼로는 각각 7조각으로 구성된 퍼즐로 각 조각들은 가장 작은 삼각형을 1개, 2개, 3개 또는 4개를 이어 붙인 모양입니다.

• 입체 칠교

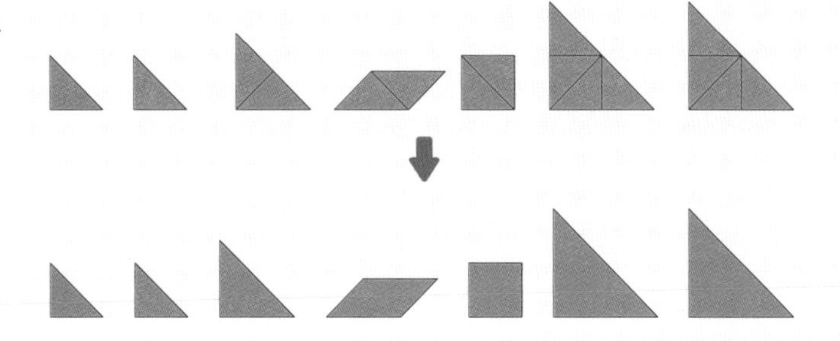

• 입체 볼로

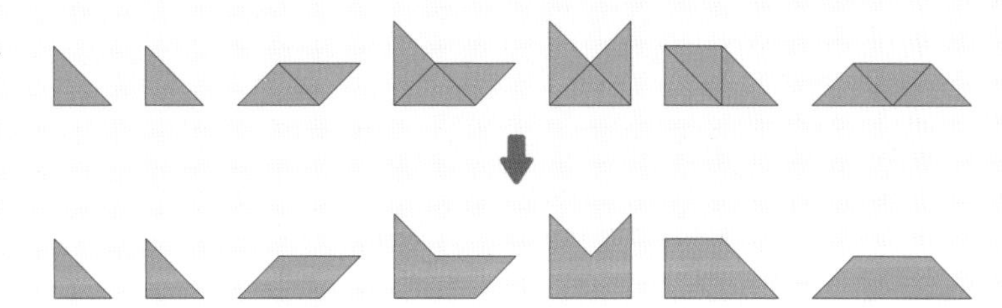

모양 만들기

색칠된 칠교와 볼로 조각을 사용하여 다음 모양을 빈틈없이 채워 보세요.

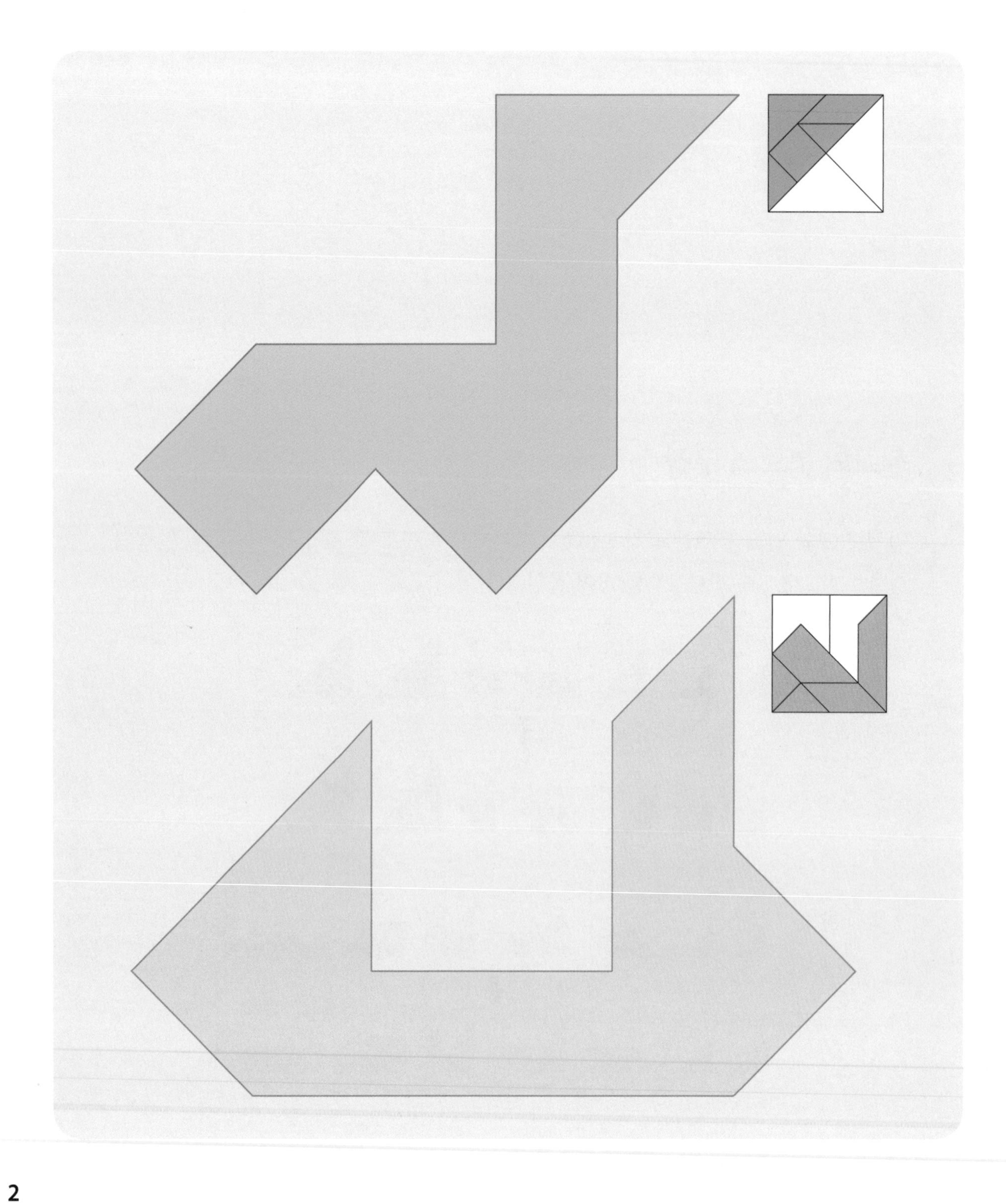

✖ 칠교로 숫자 **3**, 볼로로 숫자 **2**를 만들었습니다. 색칠된 칠교와 볼로 조각을 사용하여 **3**과 **2**를 빈틈없이 채워 보세요.

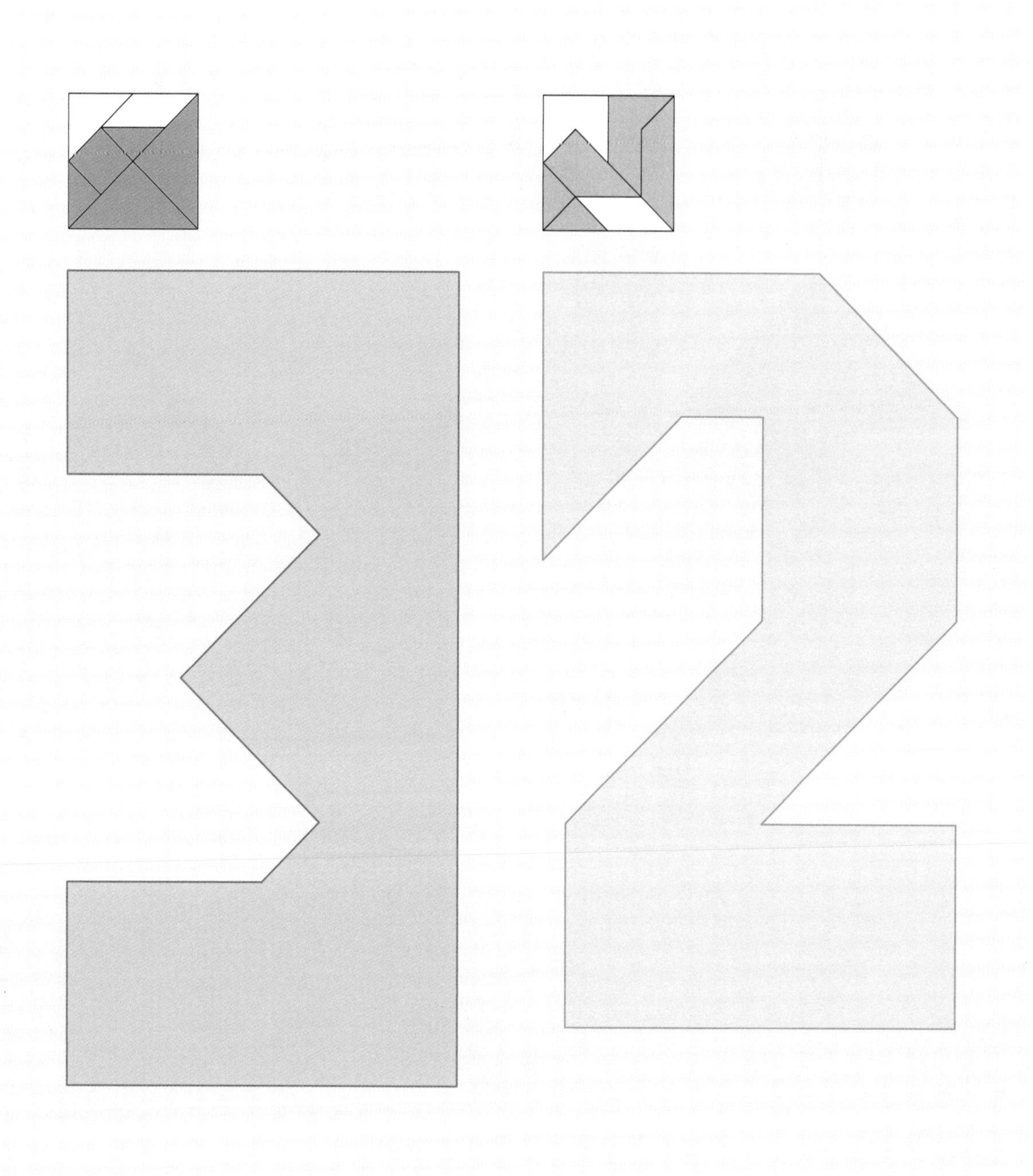

사람과 말

준비물 입체 칠교

칠교 **7**조각을 모두 사용하여 다음 모양을 각각 만들어 보세요.

배와 새

볼로 **7**조각을 모두 사용하여 다음 모양을 각각 만들어 보세요.

재미있는 모양 만들기

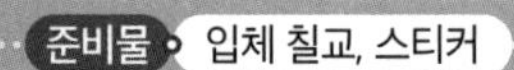

칠교 **7**조각을 모두 사용하여 자유롭게 모양을 만들어 보세요. 만든 모양대로 스티커를 붙이고 이름을 지어 보세요.

02 다각형 만들기

연관 활동: 탱그램 카드

폴리아볼로

폴리아볼로(Polyabolo)는 직각이등변삼각형을 길이가 같은 변끼리 붙여 만든 모양으로 폴리탄(Polytan)이라고도 합니다. 폴리아볼로 중 직각이등변삼각형 1개를 붙인 모양을 모나볼로(monabolo), 2개를 붙인 모양을 디아볼로(diabolo), 3개를 붙인 모양을 트리아볼로(triabolo), 4개를 붙인 모양을 테트라볼로(tetrabolo), 5개를 붙인 모양을 펜타볼로(pentabolo)라고 합니다.
이 중 테트라볼로는 모두 14가지 모양으로 정사각형 5개를 붙인 모양인 펜토미노와 함께 자주 다루어지는 도형입니다.

• 테트라볼로

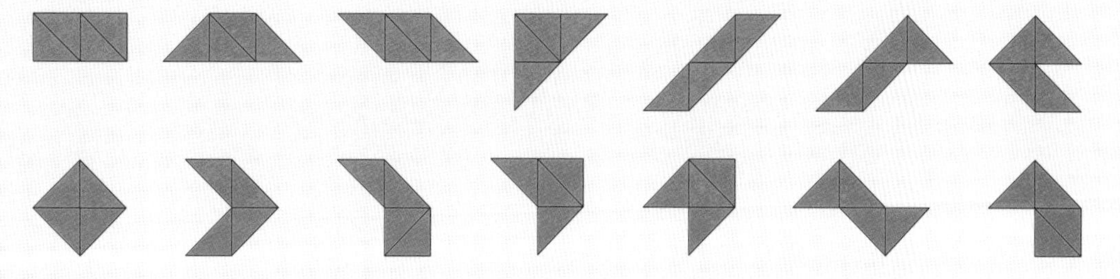

삼각형 만들기

준비물 입체 칠교, 입체 볼로, 스티커

칠교와 볼로 조각으로 삼각형을 만들고 있습니다. 색칠된 칠교 또는 볼로 조각을 더 놓아 삼각형을 완성하고 스티커를 붙여 보세요.

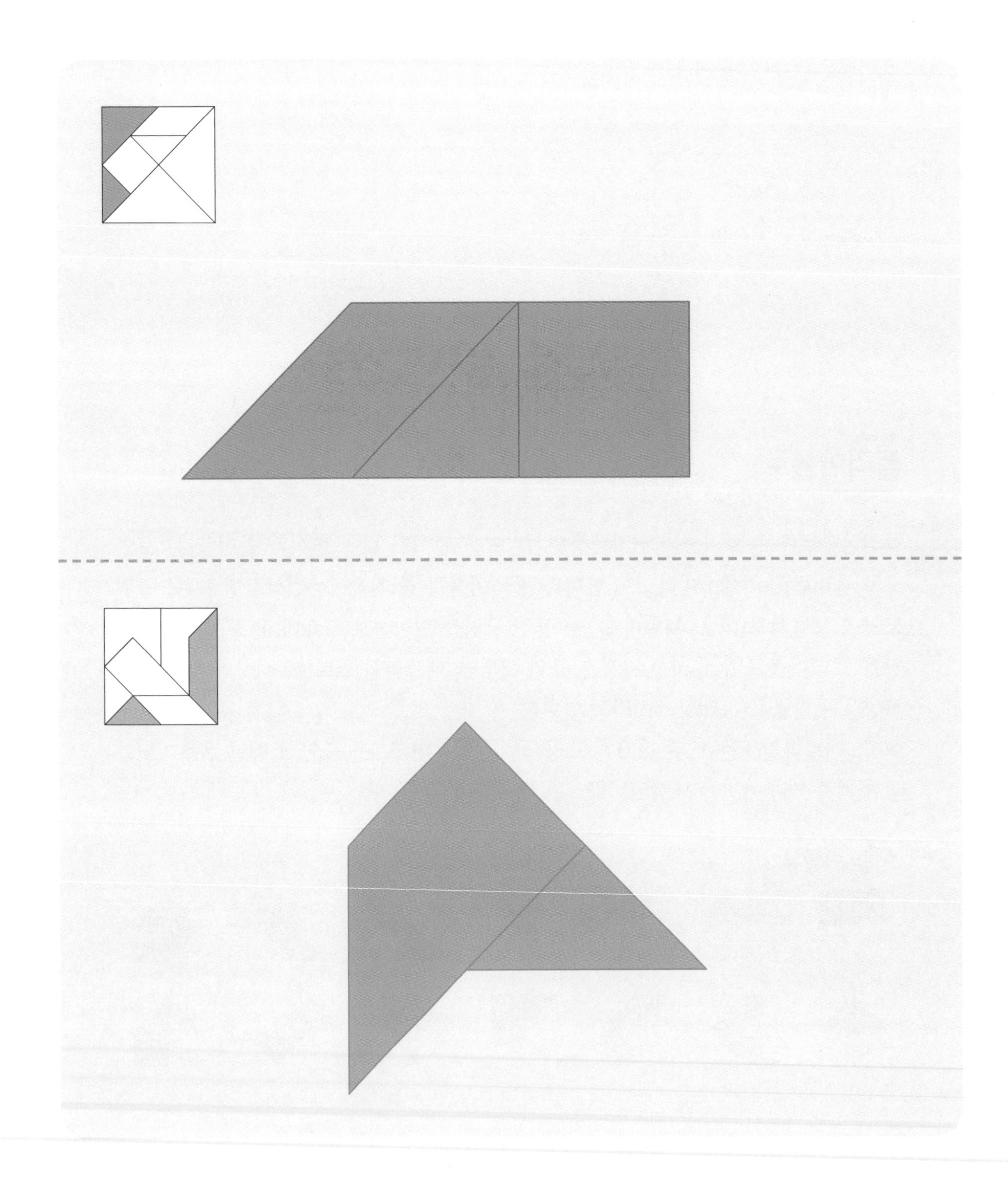

준비물 입체 칠교, 입체 볼로, 스티커

✕ 칠교와 볼로 조각으로 사각형을 만들고 있습니다. 색칠된 칠교 또는 볼로 조각을 더 놓아 사각형을 완성하고 스티커를 붙여 보세요.

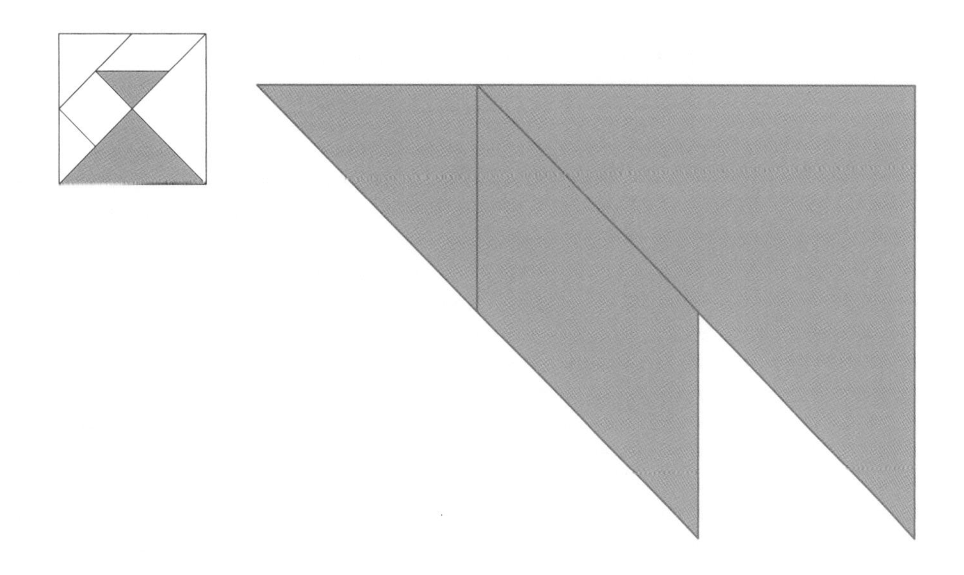

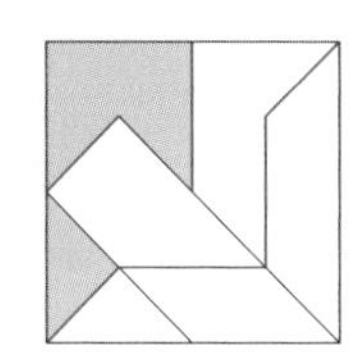

오각형 만들기

칠교 **7**조각과 볼로 **7**조각을 모두 사용하여 오각형을 빈틈없이 채워 보세요.

육각형 만들기

준비물 입체 칠교, 입체 볼로

칠교 **7**조각과 볼로 **7**조각을 모두 사용하여 육각형을 빈틈없이 채워 보세요.

다각형 만들기

✕ 칠교와 볼로 조각으로 삼각형, 사각형, 오각형, 육각형을 만들어 봅시다.

폴리탄 교구 활동

준비물 입체 칠교, 입체 볼로

1 입체 칠교와 입체 볼로를 준비합니다.

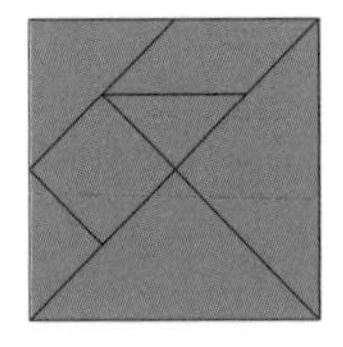
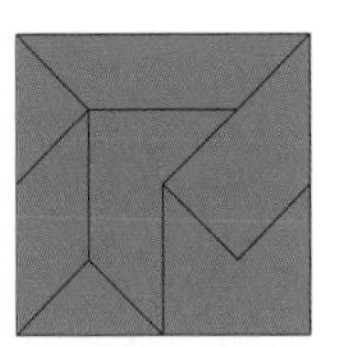

2 최대한 많은 조각을 사용하여 삼각형을 만들고 몇 조각으로 만들었는지 세어 봅니다.

3 삼각형을 만들었으면 다시 최대한 많은 조각을 사용하여 사각형, 오각형, 육각형을 차례로 만들고 몇 조각으로 만들었는지 세어 봅니다. 오목하게 들어간 도형은 만들지 않습니다.

난 9조각으로 삼각형을 만들었어.
난 8조각으로 만들었어.

14조각을 모두 사용해서 만들 수도 있지.

03 아키텍쳐

연관 활동: 아키텍쳐 카드

칠교로 정삼각형을 만들 수 있을까?

칠교 조각을 붙이면 삼각형, 사각형, 오각형 등 여러 가지 도형을 만들 수 있습니다. 그렇다면 칠교로 정삼각형을 만들 수 있을까요?

결론부터 말하자면 칠교로는 정삼각형을 만들 수 없습니다. 칠교 조각의 각도는 45°, 90°, 135°로만 이루어져 있어 칠교를 어떻게 이어 붙여도 나올 수 있는 각의 크기는 45°, 90°, 135°, 180°, 225°, 270°, 315°, 360°뿐입니다.

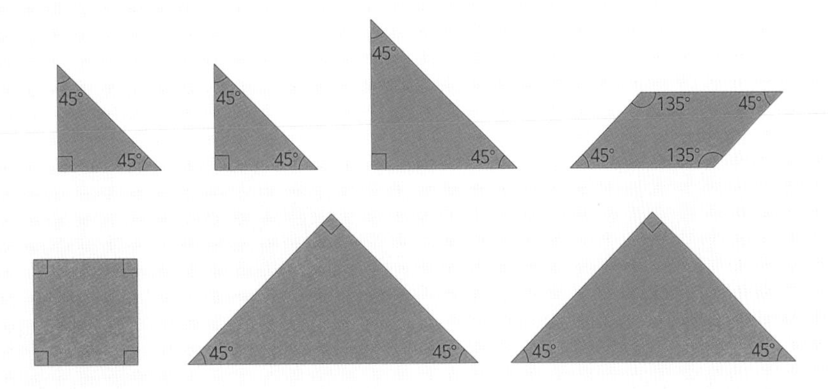

정삼각형은 세 각의 크기가 모두 60°이므로 칠교로 정삼각형을 만들 수 없습니다.

5조각 입체 모양

다음 **5**개의 입체 조각을 모두 사용하여 만든 모양에 ○표 하세요.

사용한 입체 조각

다음 모양을 만드는 데 사용한 조각을 찾아 모두 ○표 하세요.

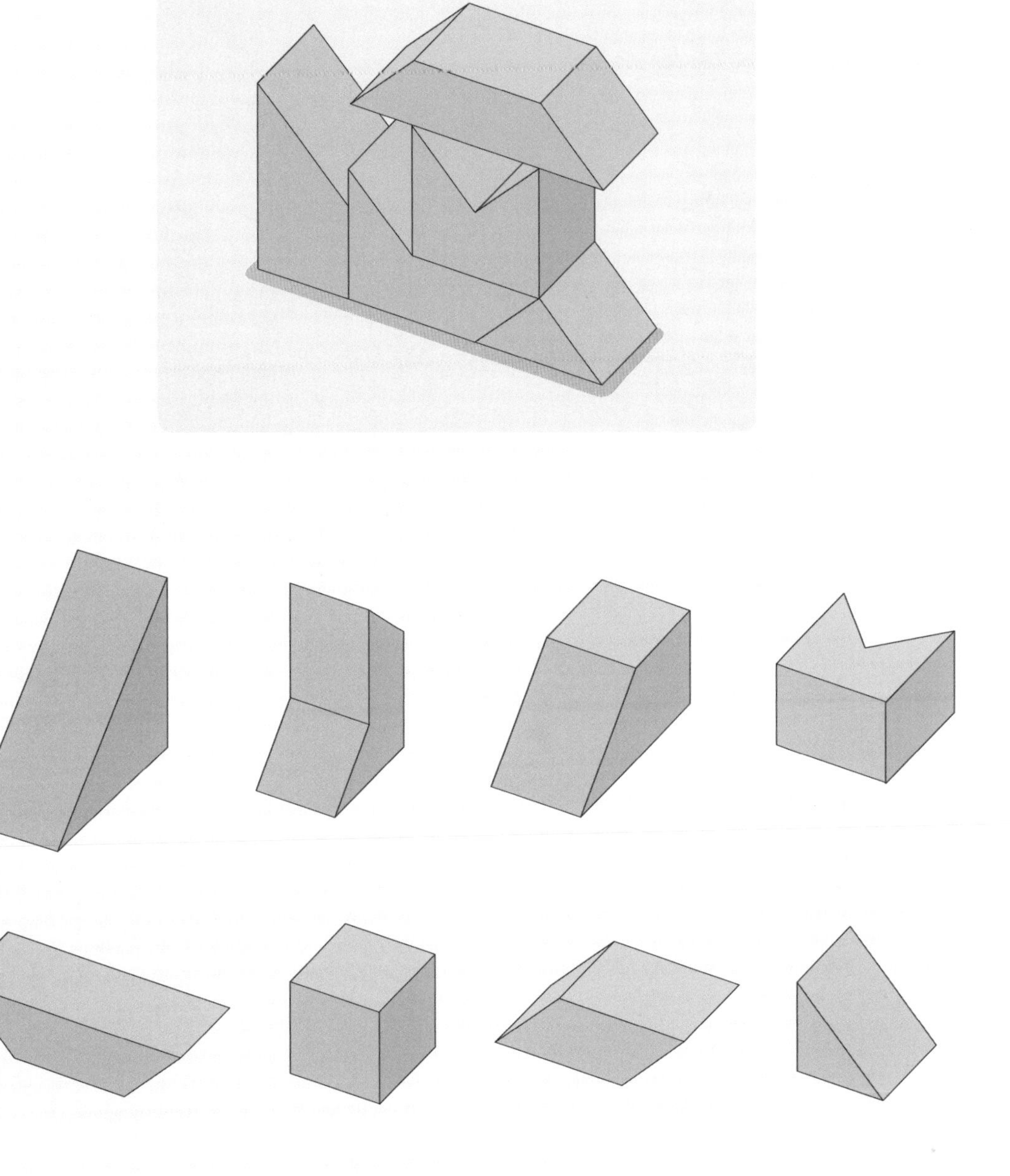

똑같이 만들기

준비물 입체 칠교, 입체 볼로

색칠된 칠교와 볼로 조각을 사용하여 다음 입체 모양을 똑같이 만들어 보세요. 조각은 눕히거나 세우는 것 모두 가능합니다.

어둠 속의 입체

준비물 입체 칠교, 입체 볼로

입체 모양을 어두운 밤에 보았더니 조각끼리 맞닿은 선이 잘 보이지 않습니다. 색칠된 칠교와 볼로 조각을 사용하여 다음 입체 모양을 똑같이 만들어 보세요.

상자 만들기

준비물 입체 칠교, 입체 볼로

✕ 색칠된 칠교와 볼로 조각을 사용하여 상자 모양을 만들어 보세요.

난 주사위같은 상자 모양을 만들었어.
난 조금 길쭉한 상자 모양을 만들 거야.
주어진 한 조각의 모양을 보고 전체 크기를 예상해 봐.

04 프로젝션

연관 활동: 프로젝션 카드

놓은 방향에 따른 모양

사물은 보는 방향에 따라 다르게 보입니다. 비가 오는 날 우산을 쓴 사람을 위에서 보면 펼친 우산의 윗부분만 보이지만 앞에서 보면 우산을 든 사람, 우산대, 우산 등이 보입니다.

또한 사물을 같은 방향에서 보더라도 어떻게 놓느냐에 따라 다르게 보입니다. 입체 칠교의 삼각형 조각을 앞에서 볼 때 놓는 방향을 다르게 하면 다음과 같이 다르게 보입니다.

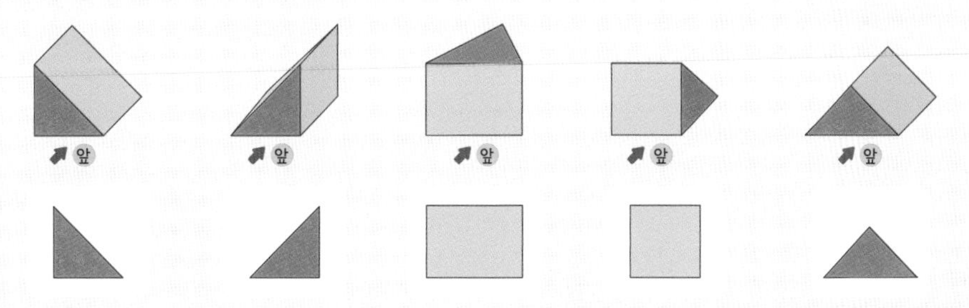

이와 같이 입체 모양을 관찰할 때는 조각을 어떻게 놓느냐에 따라 위, 앞, 옆 모양이 달라질 수 있음을 알고 보이는 그대로 관찰하는 것이 중요합니다.

위에서 본 모양

✕ 똑같은 입체 조각을 여러 방향으로 놓고 위에서 보았습니다. 위에서 본 모양을 찾아 이어 보세요.

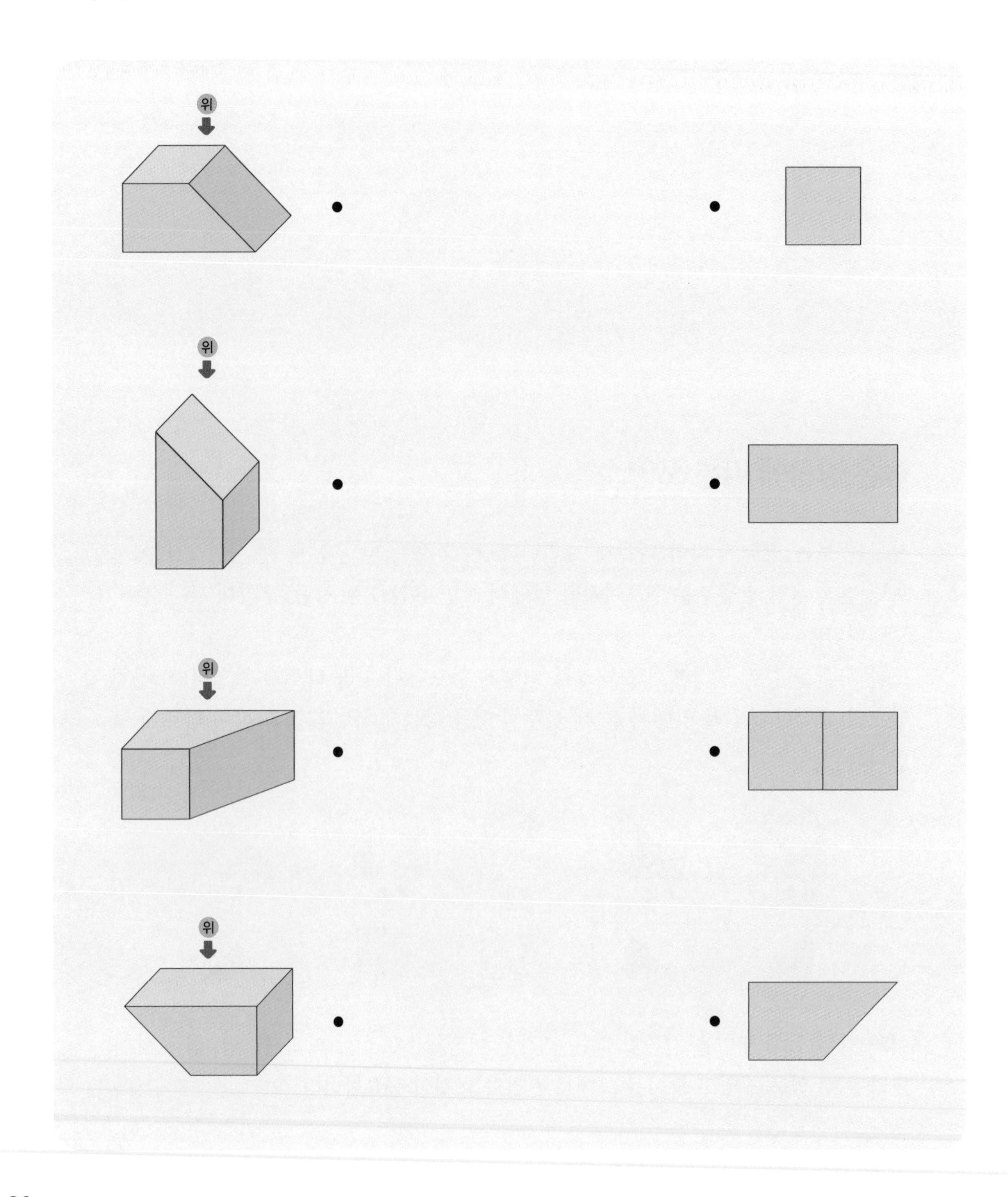

위, 앞, 옆

준비물 입체 블로, 스티커

입체 조각을 다음과 같이 놓았습니다. 위, 앞, 오른쪽 옆 모양에 알맞은 스티커를 붙여 보세요.

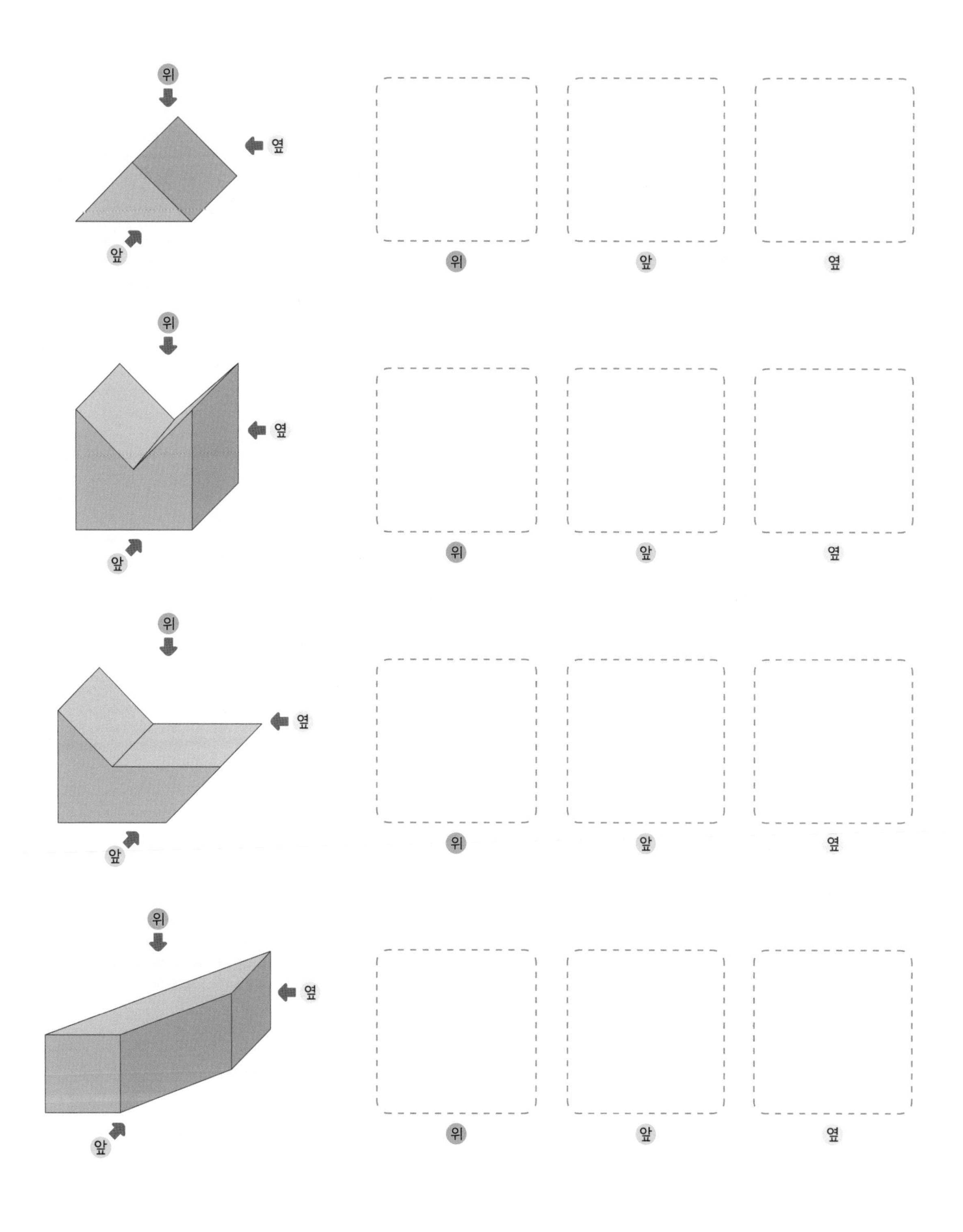

여러 방향에서 본 모양

준비물 입체 칠교, 입체 볼로

칠교와 볼로 조각으로 다음 모양을 똑같이 만들어 보세요. 만든 모양을 위, 앞, 오른쪽 옆에서 관찰하고 알맞게 이어 보세요.

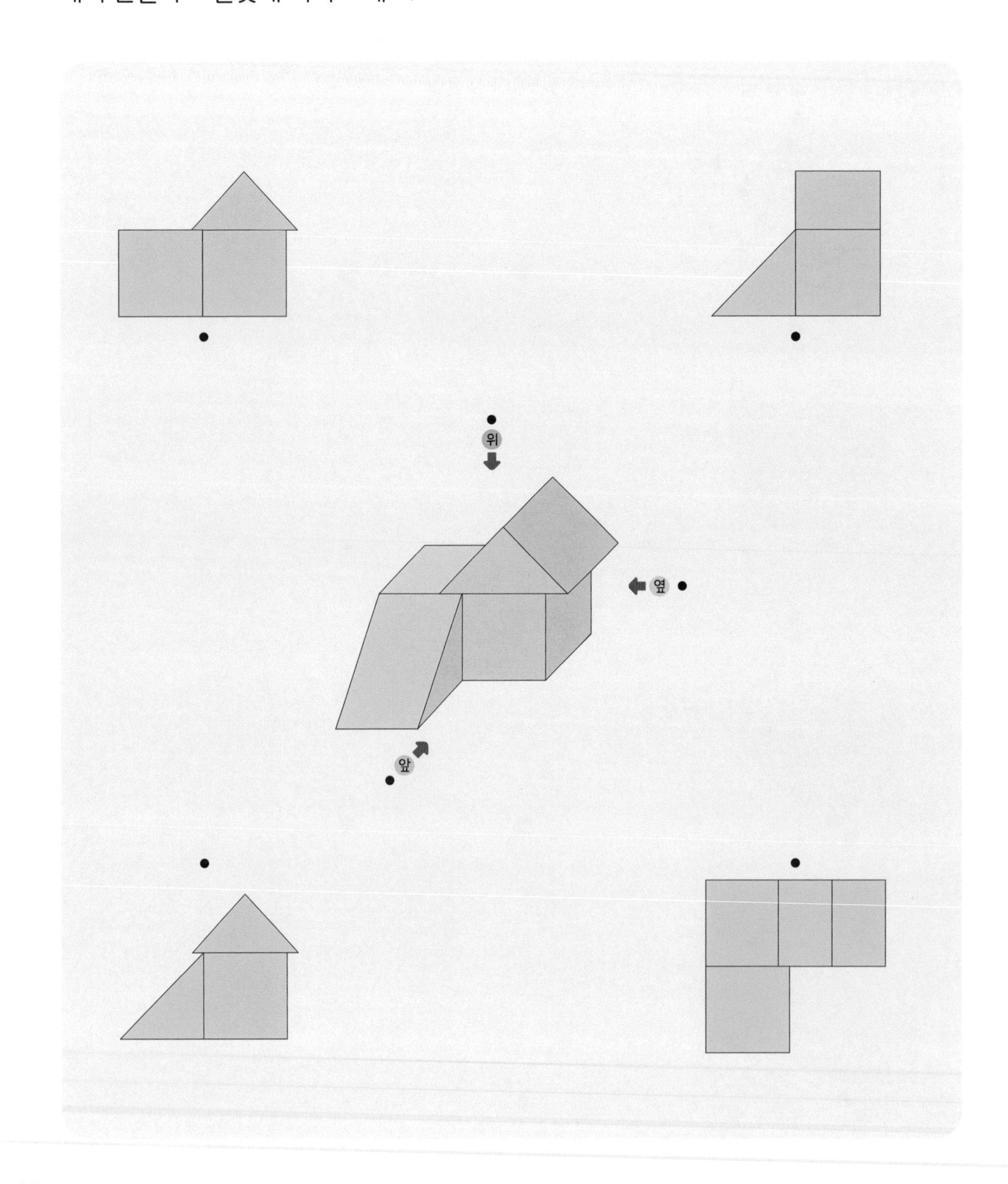

위, 앞, 옆 그리기

준비물 입체 칠교, 입체 볼로

칠교와 볼로 조각으로 다음 모양을 똑같이 만들어 보세요. 만든 모양을 위, 앞, 오른쪽 옆에서 관찰하고 그려 보세요.

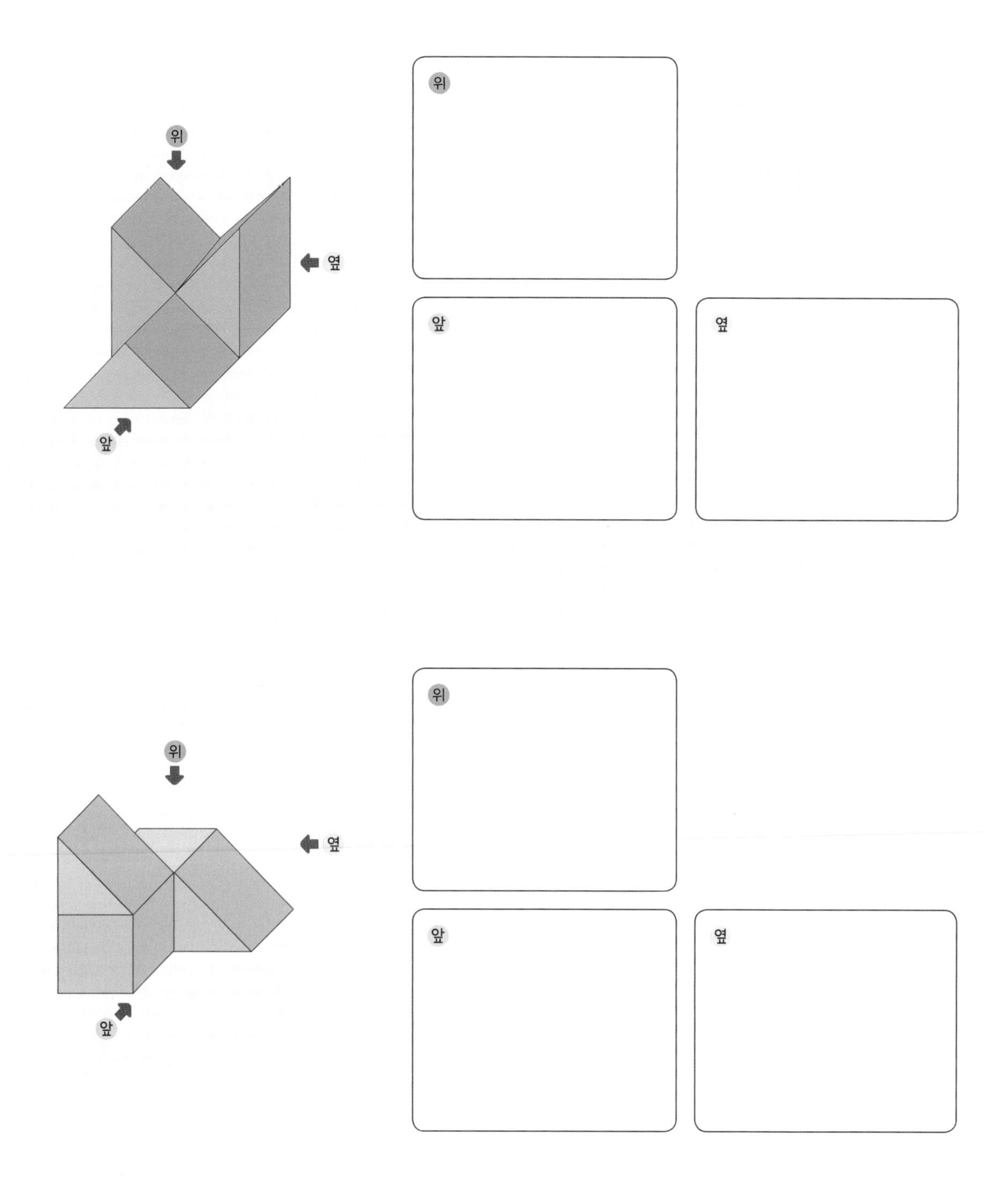

프로젝션

색칠된 칠교 **3**조각과 볼로 **3**조각으로 만든 모양을 위, 앞, 오른쪽 옆에서 본 모양입니다. 알맞은 입체 모양을 만들어 보세요.

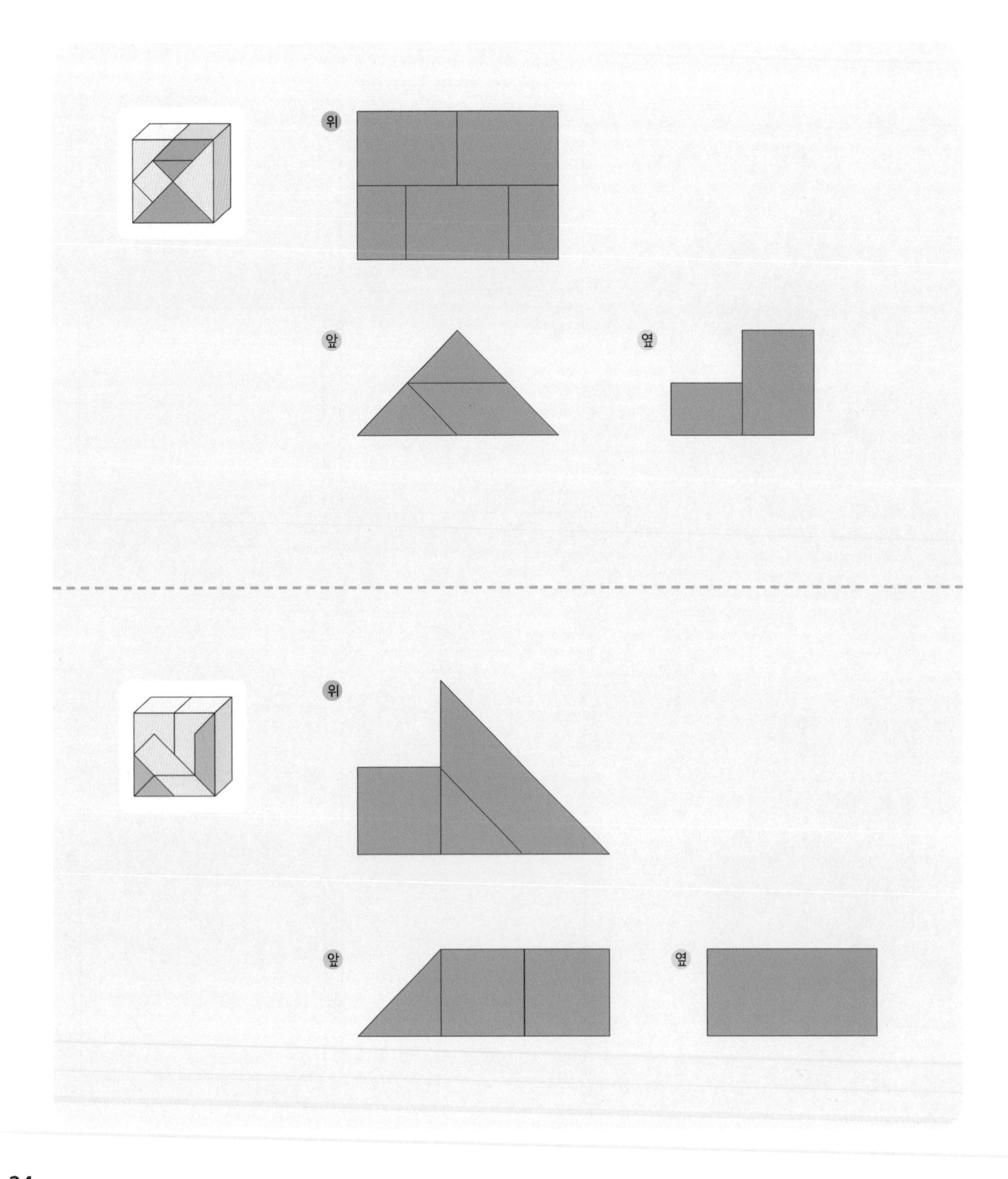

정 답

폴리탄 B

폴리탄 B

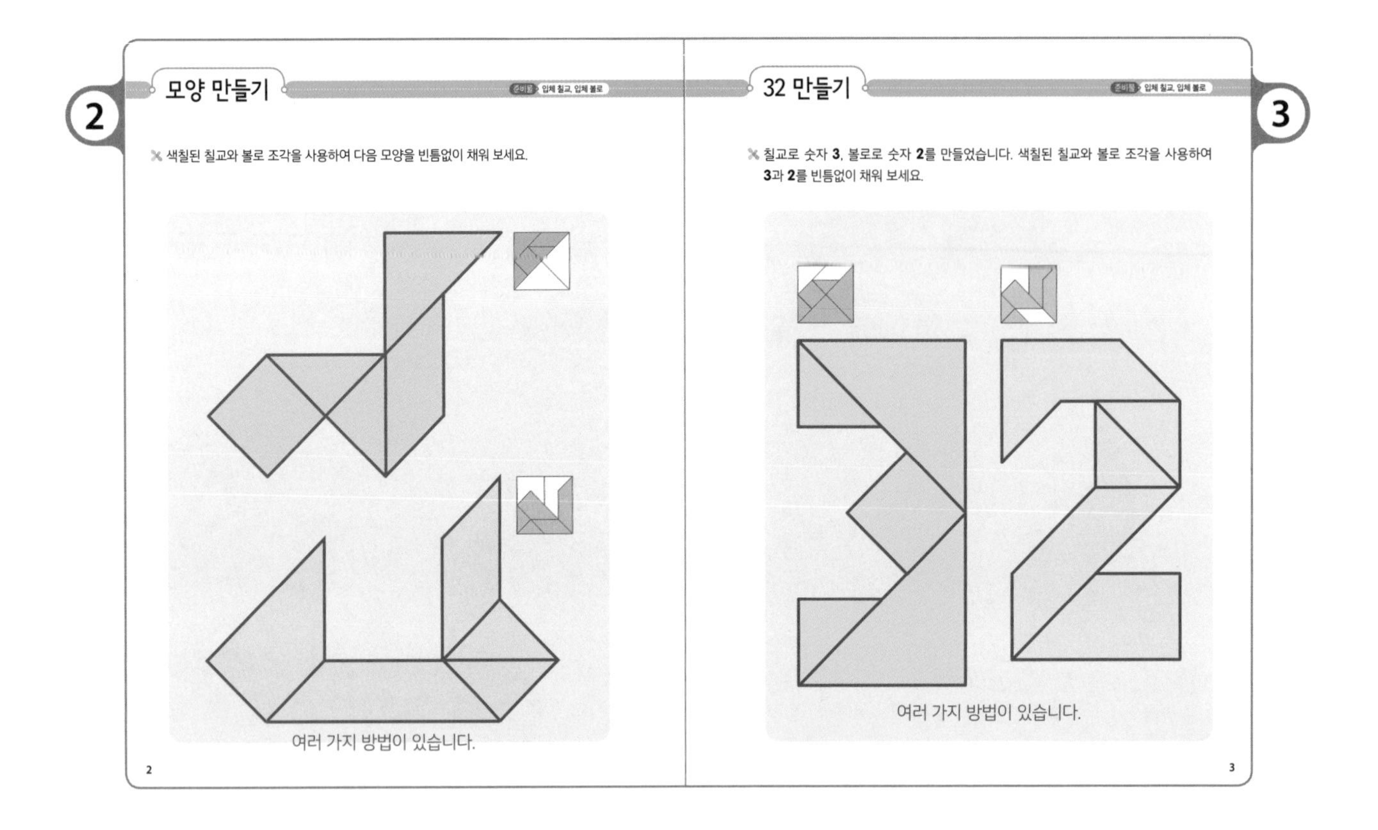

2
모양 만들기
색칠된 칠교와 볼로 조각을 사용하여 다음 모양을 빈틈없이 채워 보세요.
여러 가지 방법이 있습니다.
2
3
32 만들기
칠교로 숫자 3, 볼로로 숫자 2를 만들었습니다. 색칠된 칠교와 볼로 조각을 사용하여 3과 2를 빈틈없이 채워 보세요.
여러 가지 방법이 있습니다.
3

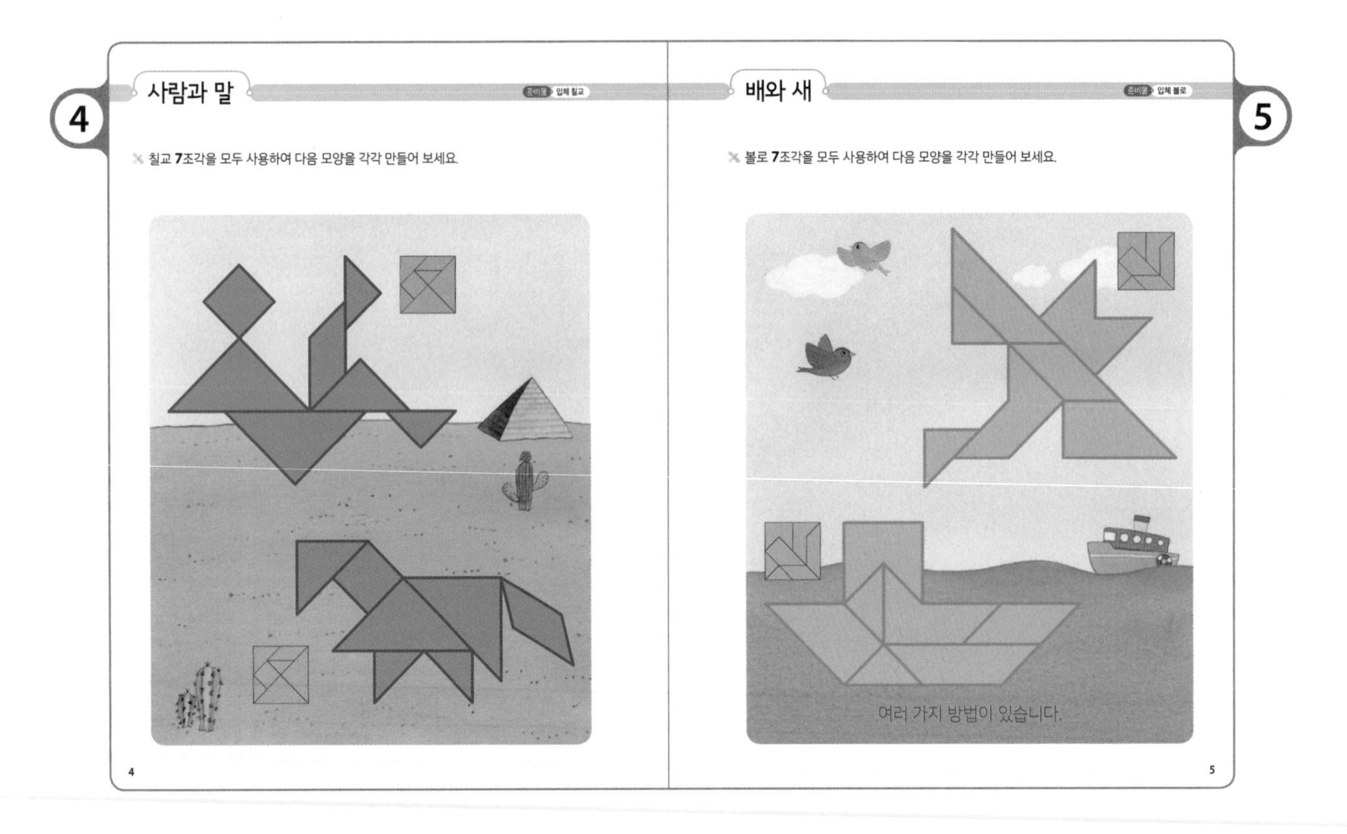

4
사람과 말
칠교 7조각을 모두 사용하여 다음 모양을 각각 만들어 보세요.
4
5
배와 새
볼로 7조각을 모두 사용하여 다음 모양을 각각 만들어 보세요.
여러 가지 방법이 있습니다.
5

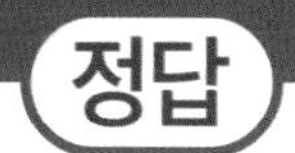

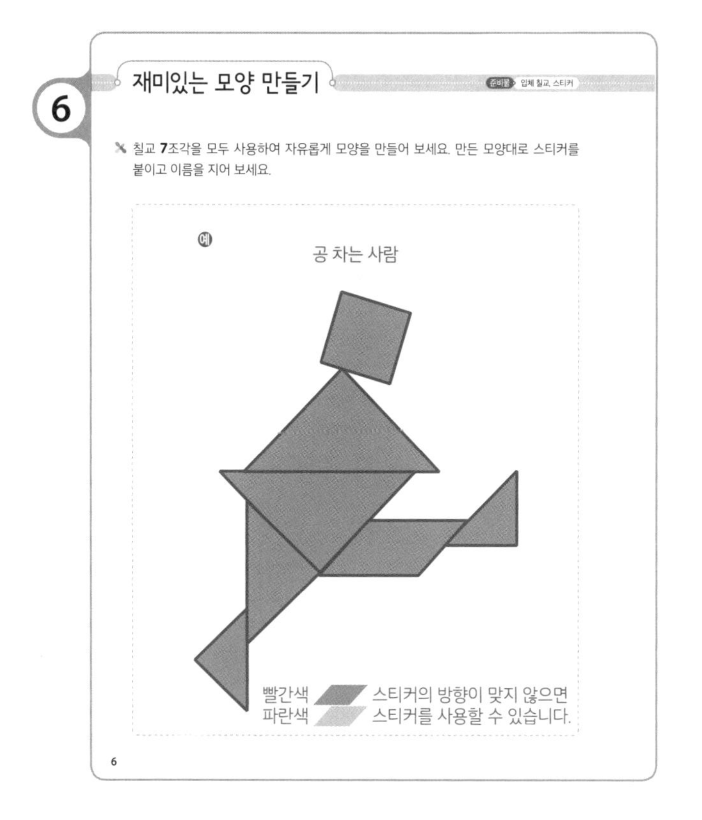
6
재미있는 모양 만들기
준비물 입체 칠교, 스티커
칠교 7조각을 모두 사용하여 자유롭게 모양을 만들어 보세요. 만든 모양대로 스티커를
붙이고 이름을 지어 보세요.
예
공 차는 사람
빨간색
파란색
스티커의 방향이 맞지 않으면
스티커를 사용할 수 있습니다.
6

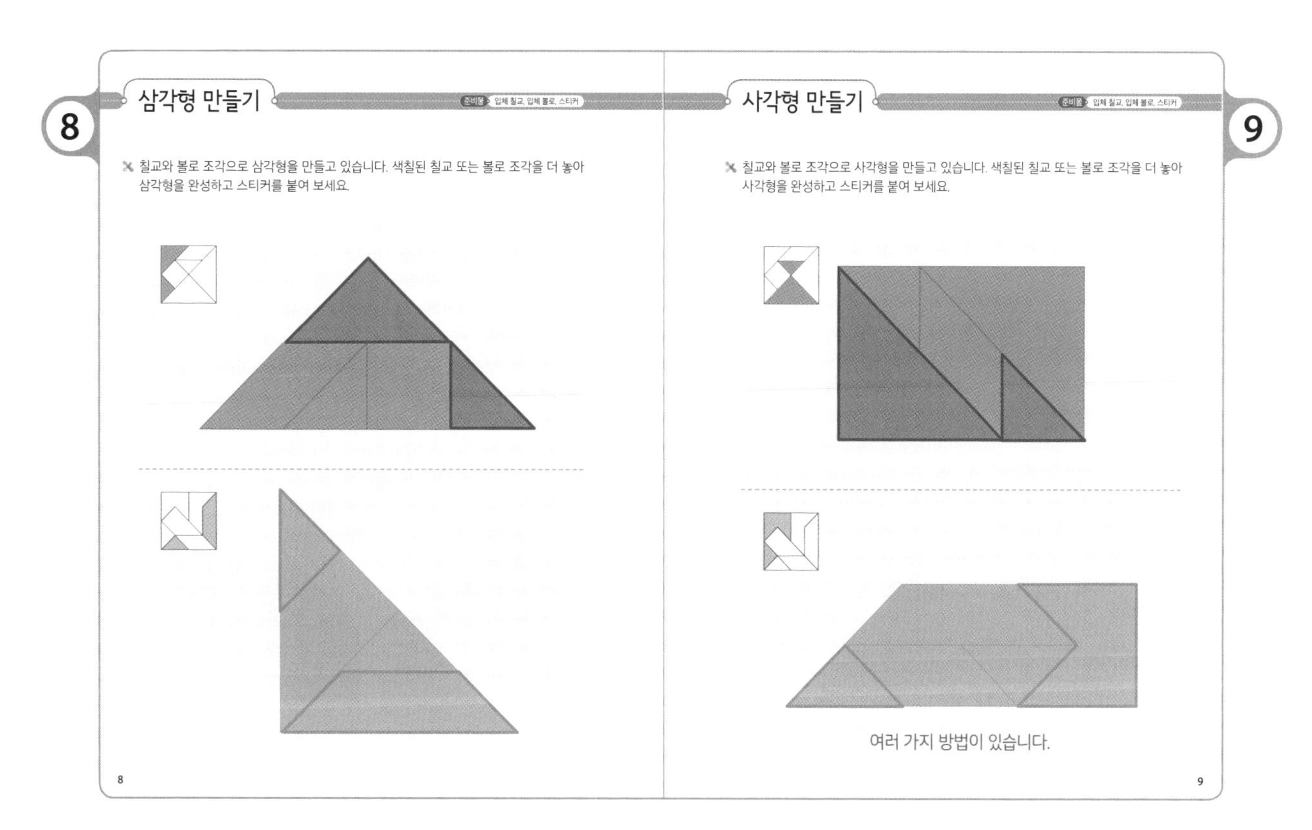
8
삼각형 만들기
준비물 입체 칠교, 입체 볼로, 스티커
칠교와 볼로 조각으로 삼각형을 만들고 있습니다. 색칠된 칠교 또는 볼로 조각을 더 놓아
삼각형을 완성하고 스티커를 붙여 보세요.
8
9
사각형 만들기
준비물 입체 칠교, 입체 볼로, 스티커
칠교와 볼로 조각으로 사각형을 만들고 있습니다. 색칠된 칠교 또는 볼로 조각을 더 놓아
사각형을 완성하고 스티커를 붙여 보세요.
여러 가지 방법이 있습니다.
9

폴리탄 B

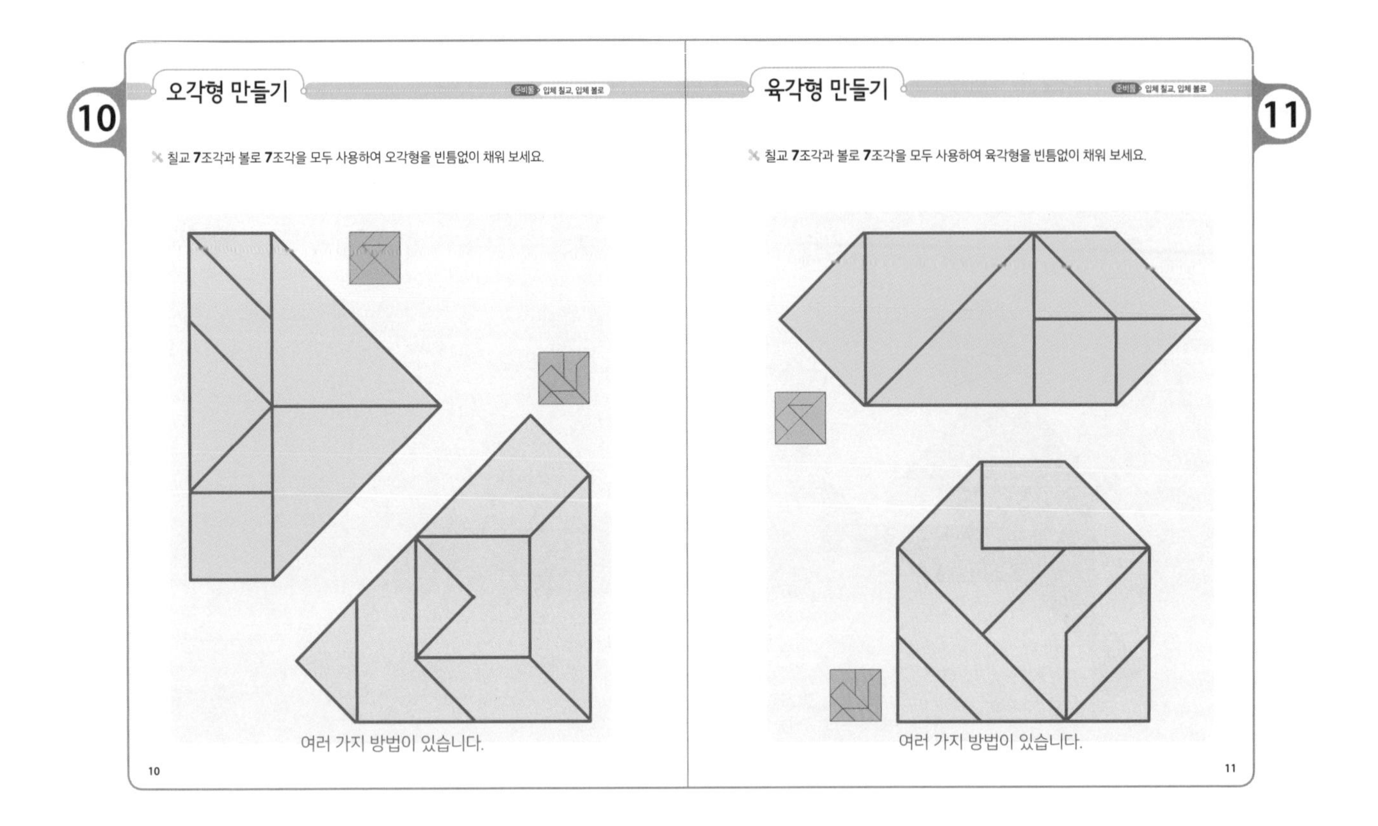

10 오각형 만들기

준비물 입체 칠교, 입체 볼로

칠교 7조각과 볼로 7조각을 모두 사용하여 오각형을 빈틈없이 채워 보세요.

여러 가지 방법이 있습니다.

10

11 육각형 만들기

준비물 입체 칠교, 입체 볼로

칠교 7조각과 볼로 7조각을 모두 사용하여 육각형을 빈틈없이 채워 보세요.

여러 가지 방법이 있습니다.

11

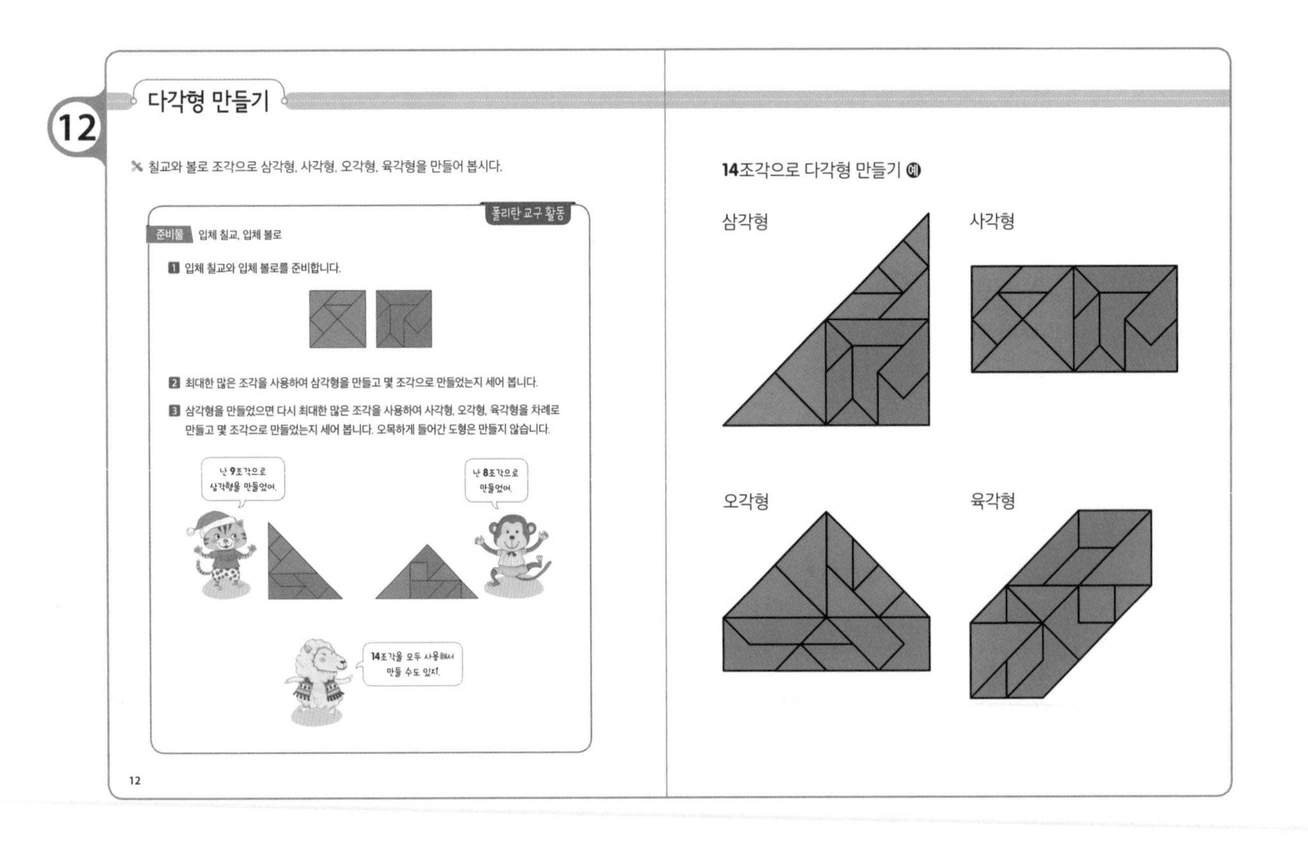

12 다각형 만들기

칠교와 볼로 조각으로 삼각형, 사각형, 오각형, 육각형을 만들어 봅시다.

폴리탄 교구 활동

준비물 입체 칠교, 입체 볼로

1 입체 칠교와 입체 볼로를 준비합니다.

2 최대한 많은 조각을 사용하여 삼각형을 만들고 몇 조각으로 만들었는지 세어 봅니다.

3 삼각형을 만들었으면 다시 최대한 많은 조각을 사용하여 사각형, 오각형, 육각형을 차례로 만들고 몇 조각으로 만들었는지 세어 봅니다. 오목하게 들어간 도형은 만들지 않습니다.

난 9조각으로 삼각형을 만들었어.
난 8조각으로 만들었어.
14조각을 모두 사용해서 만들 수도 있지.

12

14조각으로 다각형 만들기 예

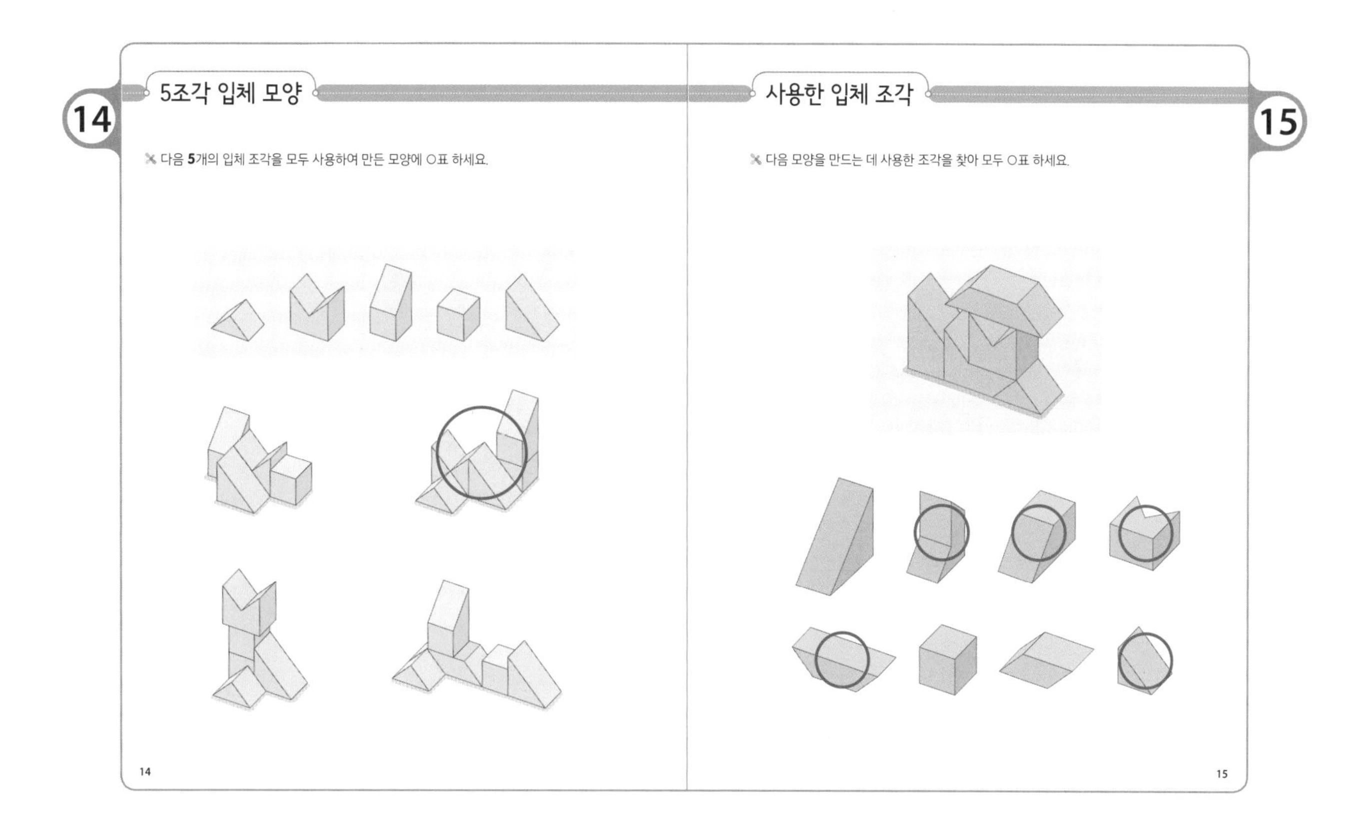

14
5조각 입체 모양
다음 5개의 입체 조각을 모두 사용하여 만든 모양에 ○표 하세요.
15
사용한 입체 조각
다음 모양을 만드는 데 사용한 조각을 찾아 모두 ○표 하세요.
14
15

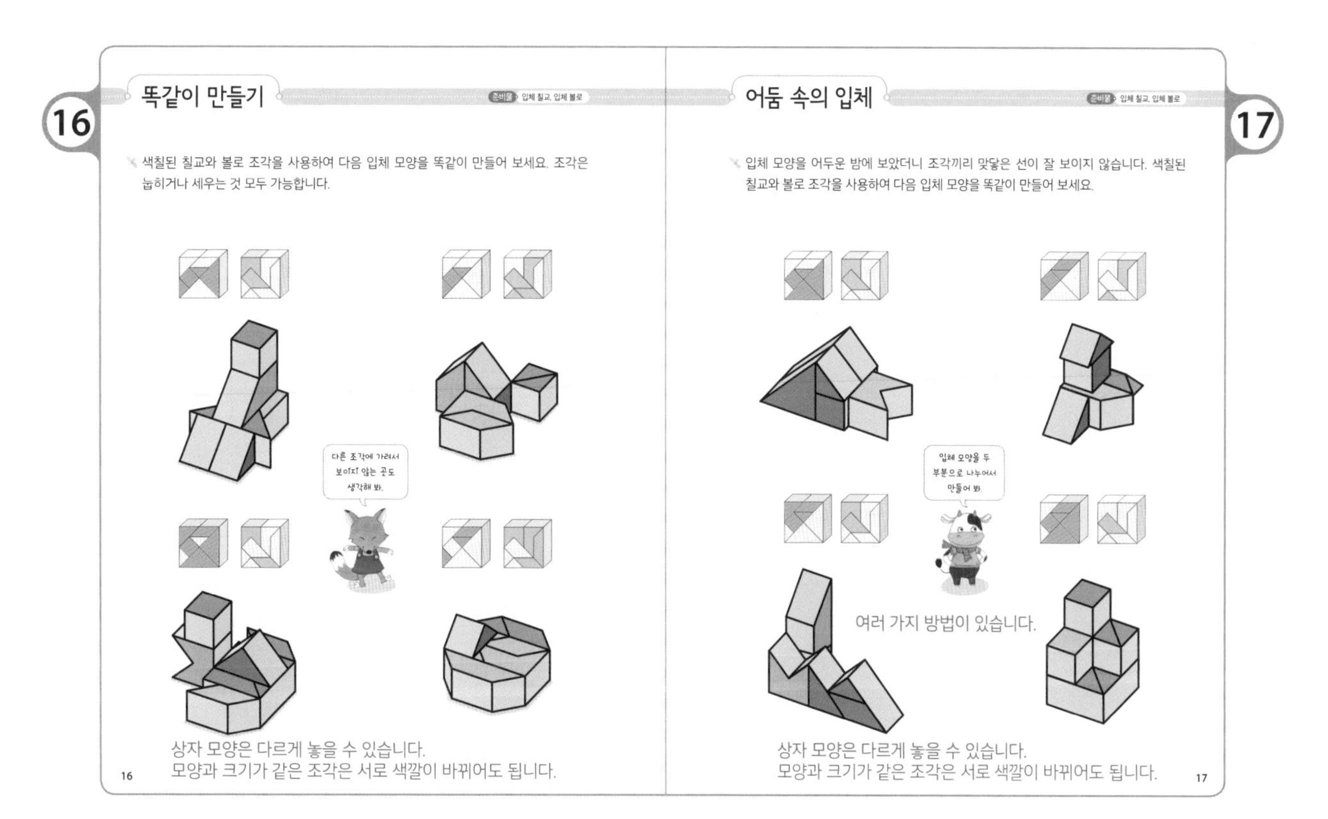

16
똑같이 만들기
색칠된 칠교와 볼로 조각을 사용하여 다음 입체 모양을 똑같이 만들어 보세요. 조각은 눕히거나 세우는 것 모두 가능합니다.
상자 모양은 다르게 놓을 수 있습니다.
모양과 크기가 같은 조각은 서로 색깔이 바뀌어도 됩니다.
16
17
어둠 속의 입체
입체 모양을 어두운 밤에 보았더니 조각끼리 맞닿은 선이 잘 보이지 않습니다. 색칠된 칠교와 볼로 조각을 사용하여 다음 입체 모양을 똑같이 만들어 보세요.
여러 가지 방법이 있습니다.
상자 모양은 다르게 놓을 수 있습니다.
모양과 크기가 같은 조각은 서로 색깔이 바뀌어도 됩니다.
17

폴리탄 B

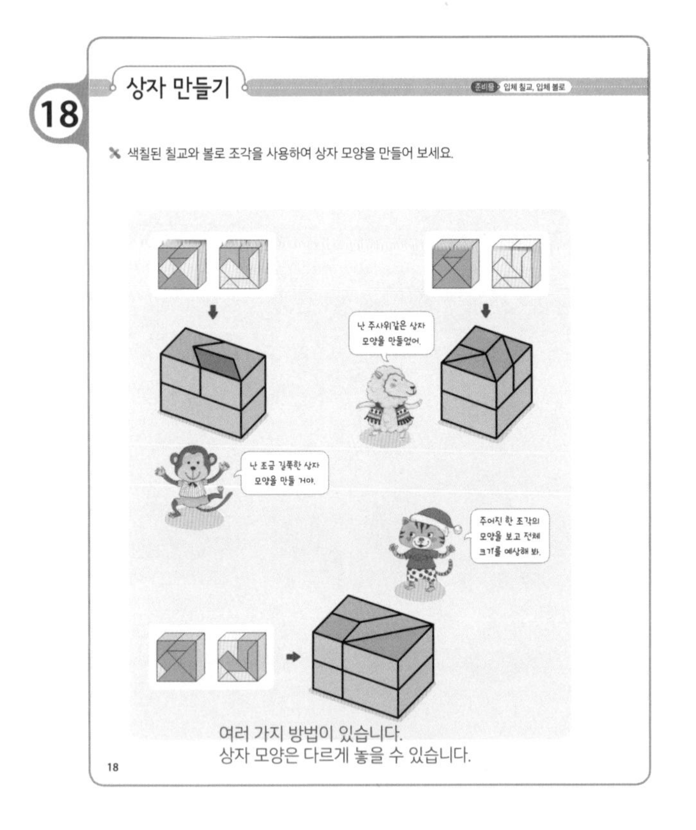
18
상자 만들기
색칠된 칠교와 볼로 조각을 사용하여 상자 모양을 만들어 보세요.
난 주사위같은 상자 모양을 만들었어.
난 조금 길쭉한 상자 모양을 만들 거야.
주어진 한 조각의 모양을 보고 전체 크기를 예상해 봐.
여러 가지 방법이 있습니다.
상자 모양은 다르게 놓을 수 있습니다.
18

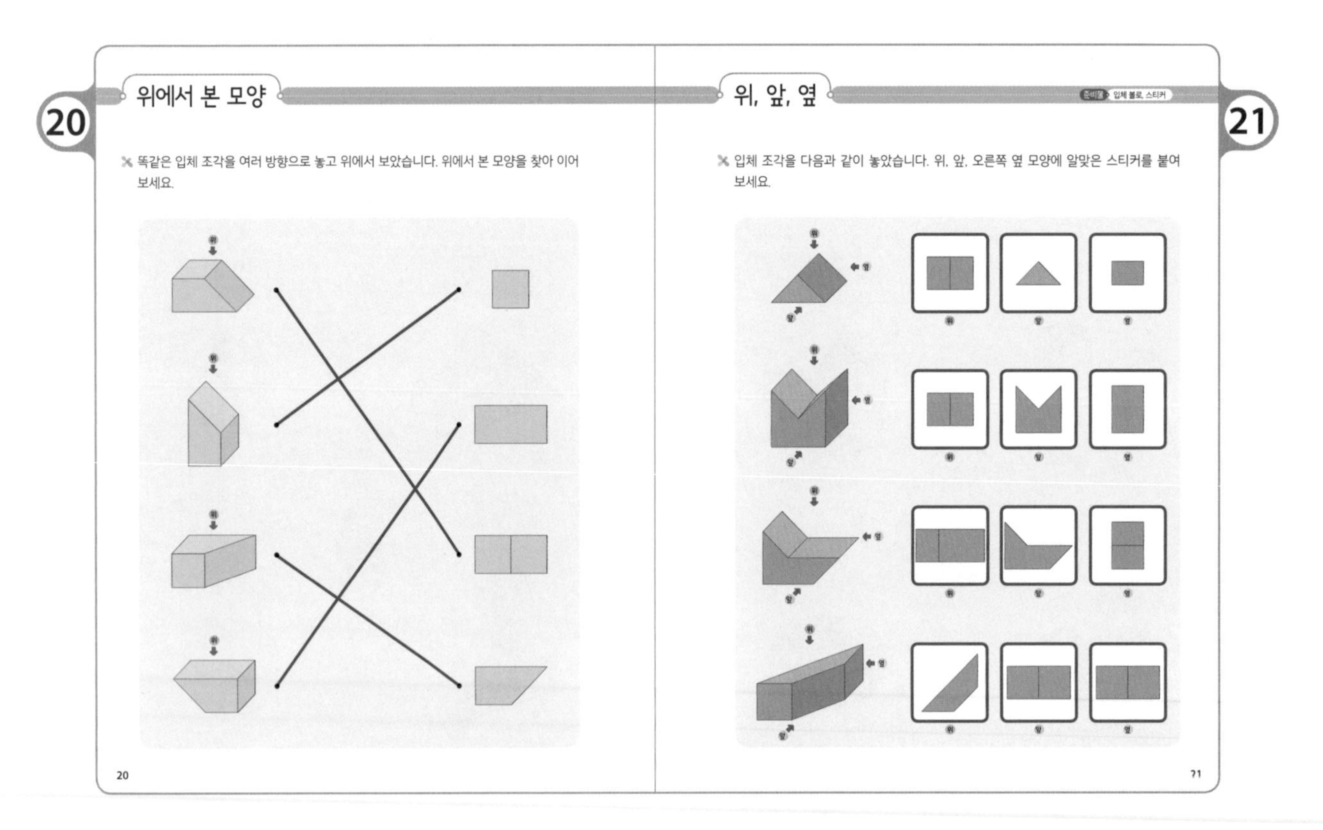
20
위에서 본 모양
똑같은 입체 조각을 여러 방향으로 놓고 위에서 보았습니다. 위에서 본 모양을 찾아 이어 보세요.
21
위, 앞, 옆
입체 조각을 다음과 같이 놓았습니다. 위, 앞, 오른쪽 옆 모양에 알맞은 스티커를 붙여 보세요.
20
21

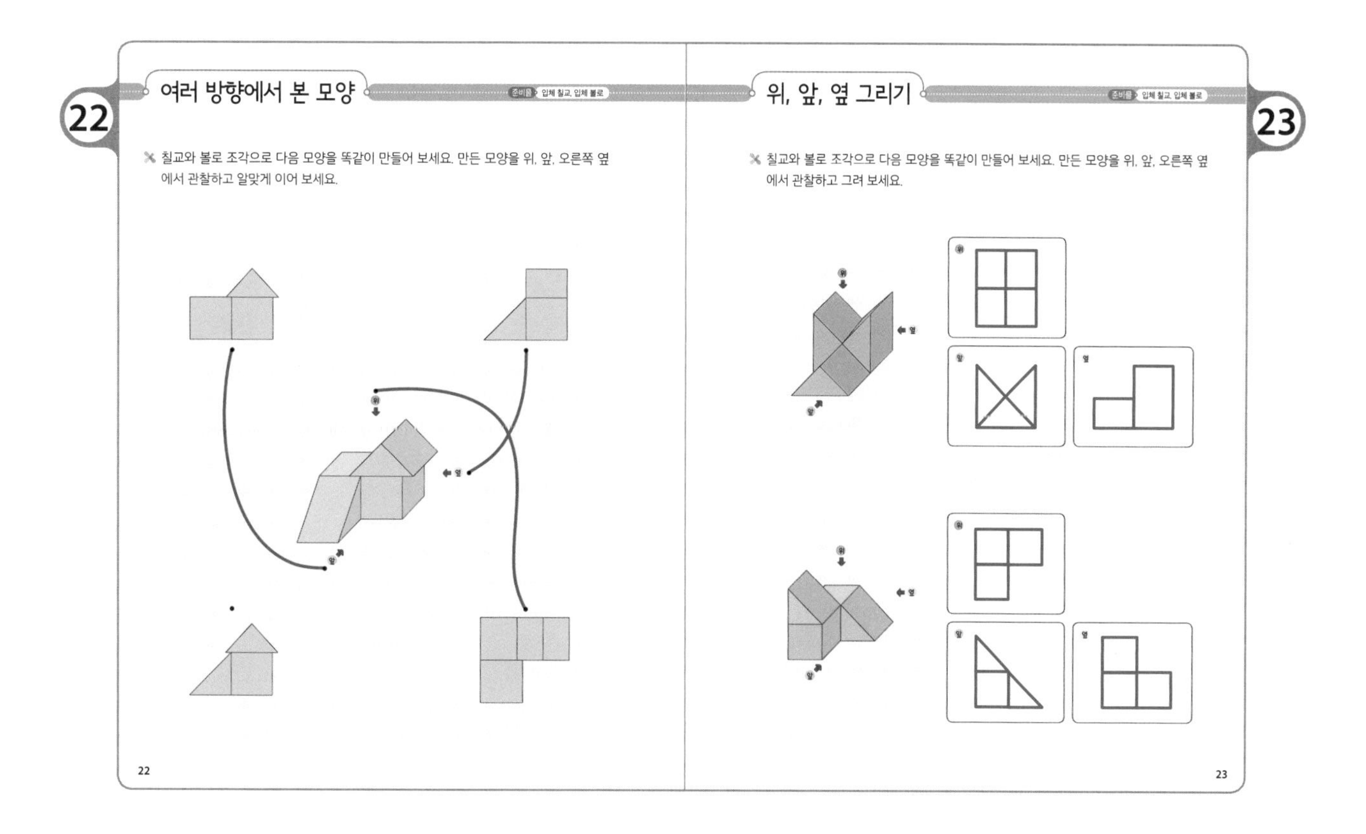

22 여러 방향에서 본 모양

준비물 입체 칠교, 입체 볼로

칠교와 볼로 조각으로 다음 모양을 똑같이 만들어 보세요. 만든 모양을 위, 앞, 오른쪽 옆에서 관찰하고 알맞게 이어 보세요.

22

23 위, 앞, 옆 그리기

준비물 입체 칠교, 입체 볼로

칠교와 볼로 조각으로 다음 모양을 똑같이 만들어 보세요. 만든 모양을 위, 앞, 오른쪽 옆에서 관찰하고 그려 보세요.

23

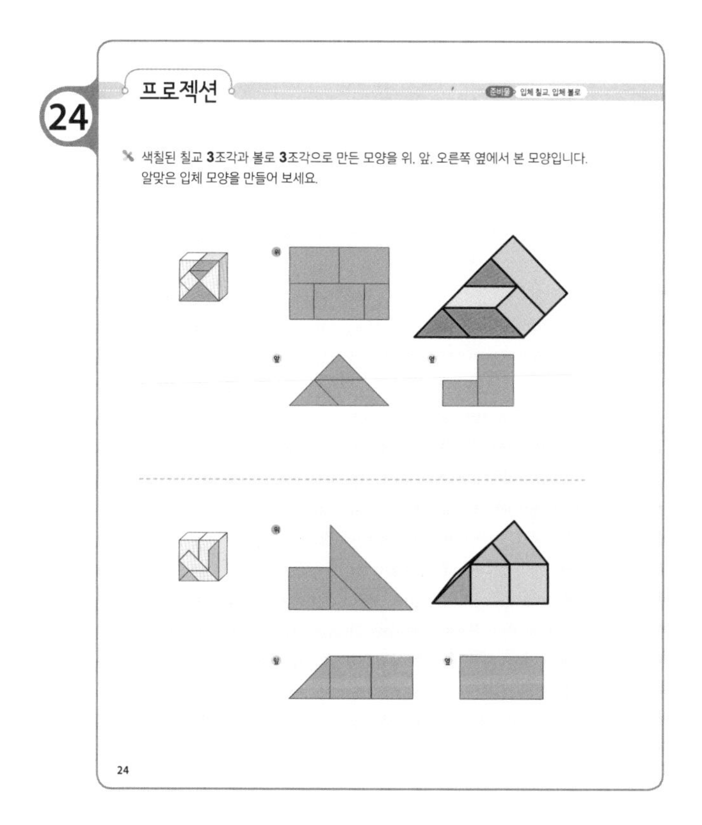

24 프로젝션

준비물 입체 칠교, 입체 볼로

색칠된 칠교 **3**조각과 볼로 **3**조각으로 만든 모양을 위, 앞, 오른쪽 옆에서 본 모양입니다. 알맞은 입체 모양을 만들어 보세요.

24

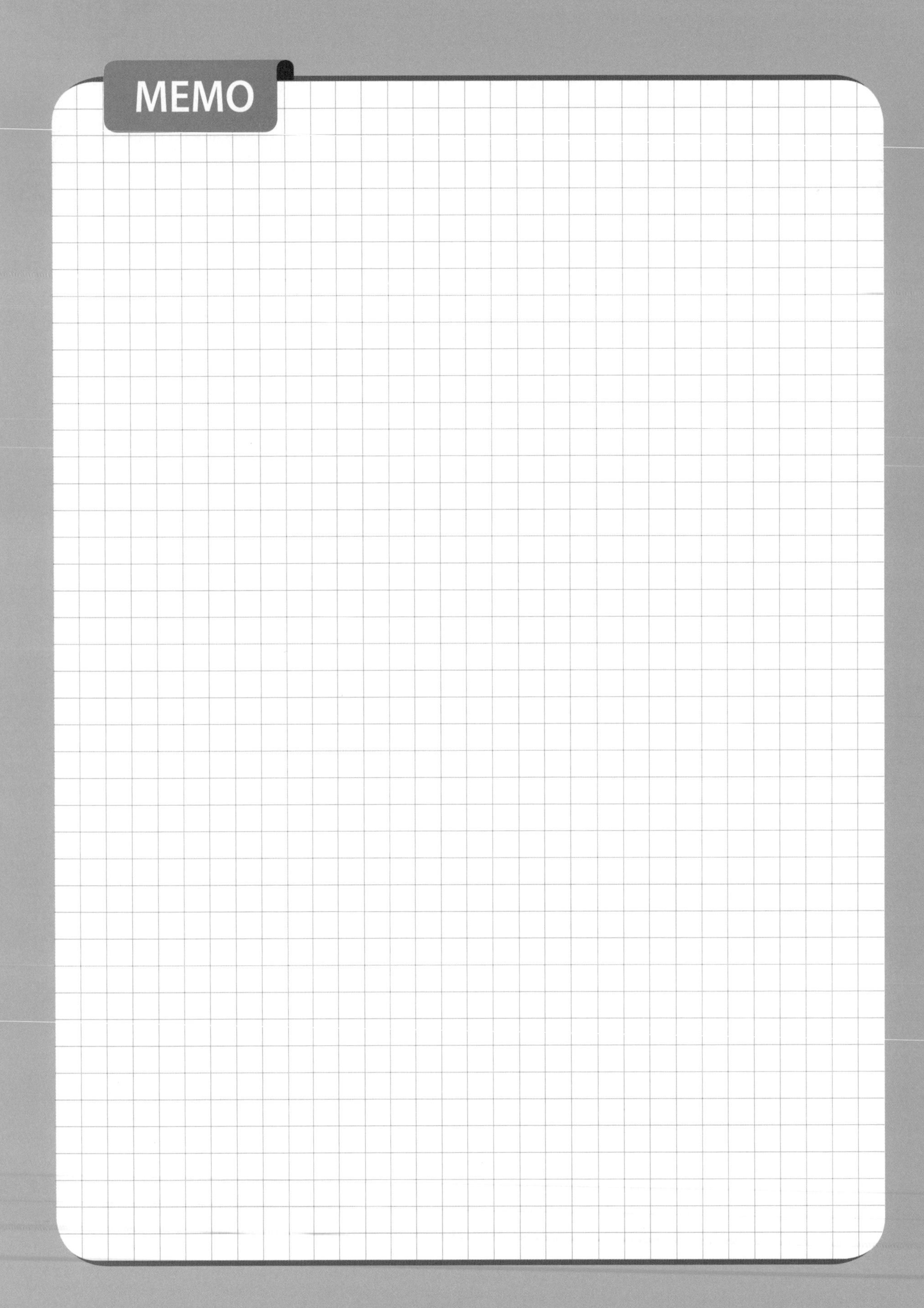
MEMO

폴리탄 B

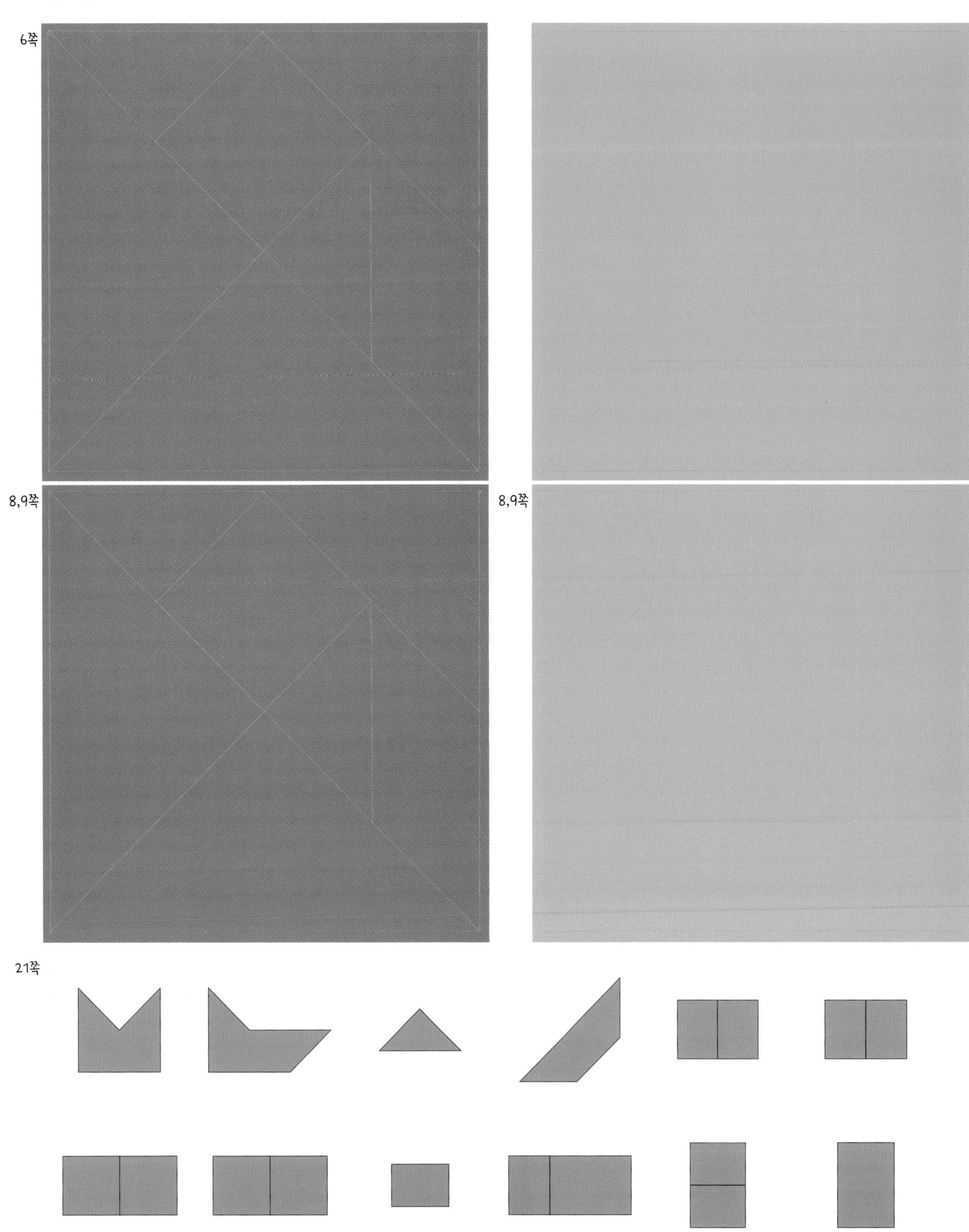

초등 수학 교구 상자

펜토미노턴

평면 공간감각을 길러주는 회전 펜토미노 퍼즐

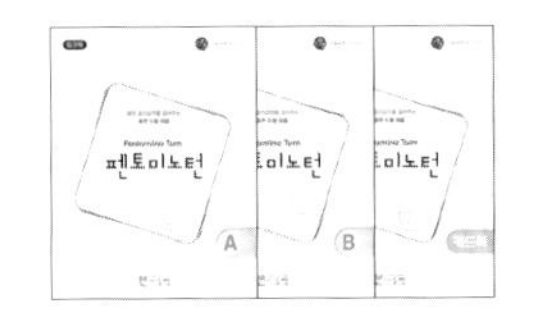

초등학생들이 어려워하는 '평면도형의 이동'을 펜토미노와 패턴 블록으로 도형을 직접 돌려보며 재미있게 해결하는 공간감각 퍼즐입니다.

큐브빌드

입체 공간감각을 길러주는 멀티큐브 퍼즐

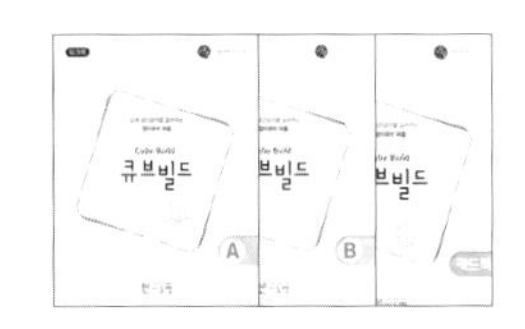

머릿속으로 그리기 어려운 입체도형을 쌓기나무와 멀티큐브를 이용하여 직접 만들어 위, 앞, 옆 모양을 관찰하고, 다양한 입체 모양을 만드는 공간감각 퍼즐입니다.

폴리탄

도형감각을 길러주는 **입체 칠교** 퍼즐

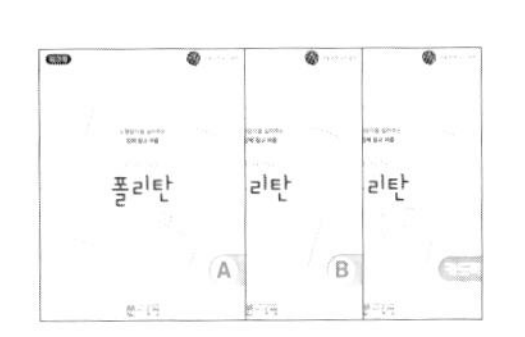

정사각형을 7조각으로 자른 '입체 칠교'와 직각이등변삼각형을 붙인 '입체 볼로'를 활용하여 평면뿐만 아니라 다양한 입체도형 문제를 해결하는 퍼즐입니다.

트랜스넘버

자유자재로 식을 만드는 멀티 숫자 퍼즐

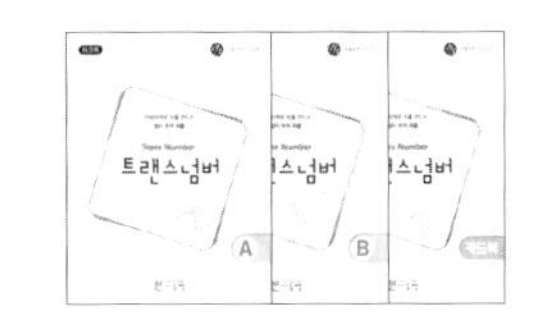

자유자재로 식을 만들고 이를 변형, 응용하는 활동을 통해 연산 원리와 연산감각을 길러주는 멀티 숫자 퍼즐입니다.

머긴스빙고

수 감각을 길러주는 **창의 연산** 보드 게임

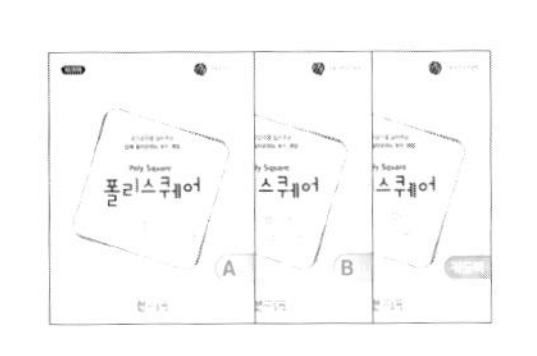

빙고 게임과 머긴스 게임을 활용하여 수 감각과 연산 능력을 끌어올리고 전략적 사고를 키우는 사고력 보드 게임입니다.

폴리스퀘어

공간감각을 길러주는 **입체 폴리오미노** 보드 게임

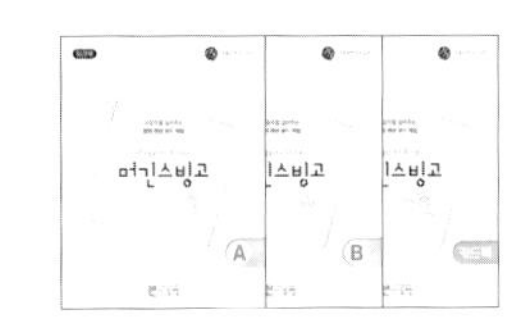

모노미노부터 펜토미노까지의 폴리오미노를 이용하여 다양한 모양을 만들어 보고, 공간을 차지하는 게임으로 공간감각을 키우는 공간점령 보드 게임입니다.

큐보이드

입체를 펼치고 접는 **공간 전개도** 퍼즐

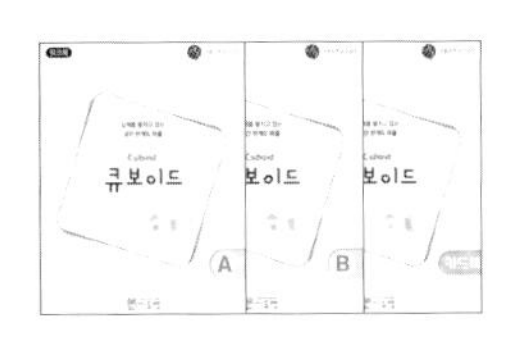

여러 가지 모양의 면을 자유롭게 연결하여 접었다 펼치는 활동을 통해 직육면체 전개도의 모든 것을 알아보는 공간 전개도 퍼즐입니다.

I hear and I forget 듣기만 한 것은 잊어버리고

I see and I remember 본 것은 기억되지만

I do and I understand 직접 해 본 것은 이해가 된다

Poly Tan

폴리탄

펴낸곳: ㈜씨투엠에듀 **발행인:** 한헌조

모델명: 필즈엠_폴리탄
제조년월: 2020년 8월
주소 및 전화번호: 경기도 수원시 장안구 파장로 7(태영빌딩 3층) / 031-548-1191
제조국명: 한국

카드북

씨투엠 초등 수학 교구 상자

도형감각을 길러주는

입체 칠교 퍼즐

Poly Tan

폴리탄

카드북

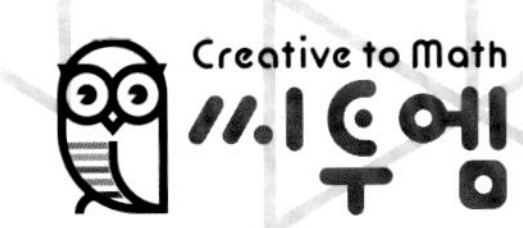

새로운 카드로 더욱 재미있는 활동을 해 보세요.

카드북 구성

탱그램 카드(주황색) 6장, 밸런스 카드(연두색) 6장, 아키텍쳐 카드(파란색) 6장, 프로젝션 카드(빨간색) 6장

탱그램 카드 활동

탱그램 문제 카드를 보고 오른쪽에 주어진 조각을 모두 사용하여 모양을 만듭니다. 모양을 만들 때, 조각은 모두 눕혀서 색깔이 보이도록 이어 붙입니다. 모양을 만드는 방법은 여러 가지가 있습니다.
16~18 카드는 빨간색 입체 칠교로, 19~21 카드는 파란색 입체 볼로로 모양을 만듭니다.

밸런스 카드 활동

밸런스 문제 카드를 보고 오른쪽에 주어진 조각을 모두 사용하여 문제의 그림대로 무너지지 않게 조각을 위로 쌓아 올립니다.
쌓은 모양을 앞에서 보았을 때, 모두 색깔이 보여야 합니다. 입체 칠교와 입체 볼로를 함께 사용하여 모양을 쌓습니다.

아키텍쳐 카드 활동

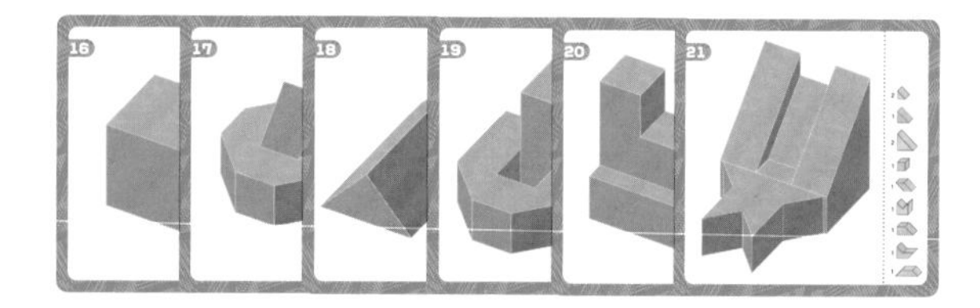

아키텍쳐 문제 카드를 보고 오른쪽에 주어진 조각을 모두 사용하여 입체 모양을 만듭니다. 입체 모양을 만드는 방법은 여러 가지가 있습니다.
조각은 눕히거나 세우는 것 모두 가능하고, 입체 칠교와 입체 볼로를 함께 사용하여 모양을 만듭니다.

프로젝션 카드 활동

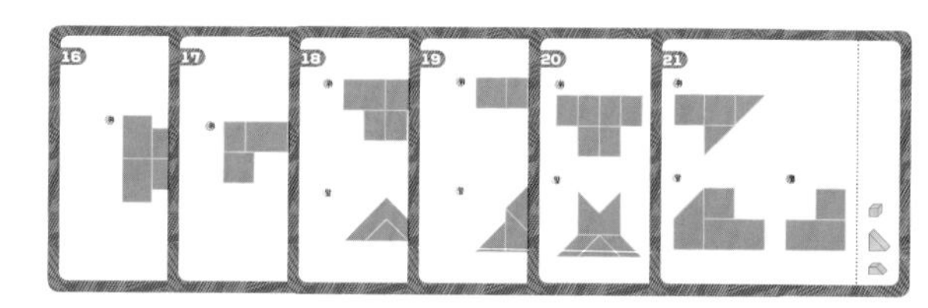

프로젝션 문제 카드를 보고 오른쪽에 주어진 조각을 모두 사용하여 각 방향에서 바라본 모습에 맞게 알맞은 모양을 만듭니다. 조각은 눕히거나 세우는 것 모두 가능합니다.
16, 17 카드는 위에서 본 모양, 18, 19 카드는 위, 앞에서 본 모양, 20, 21 카드는 위, 앞, 오른쪽 옆에서 본 모양입니다.

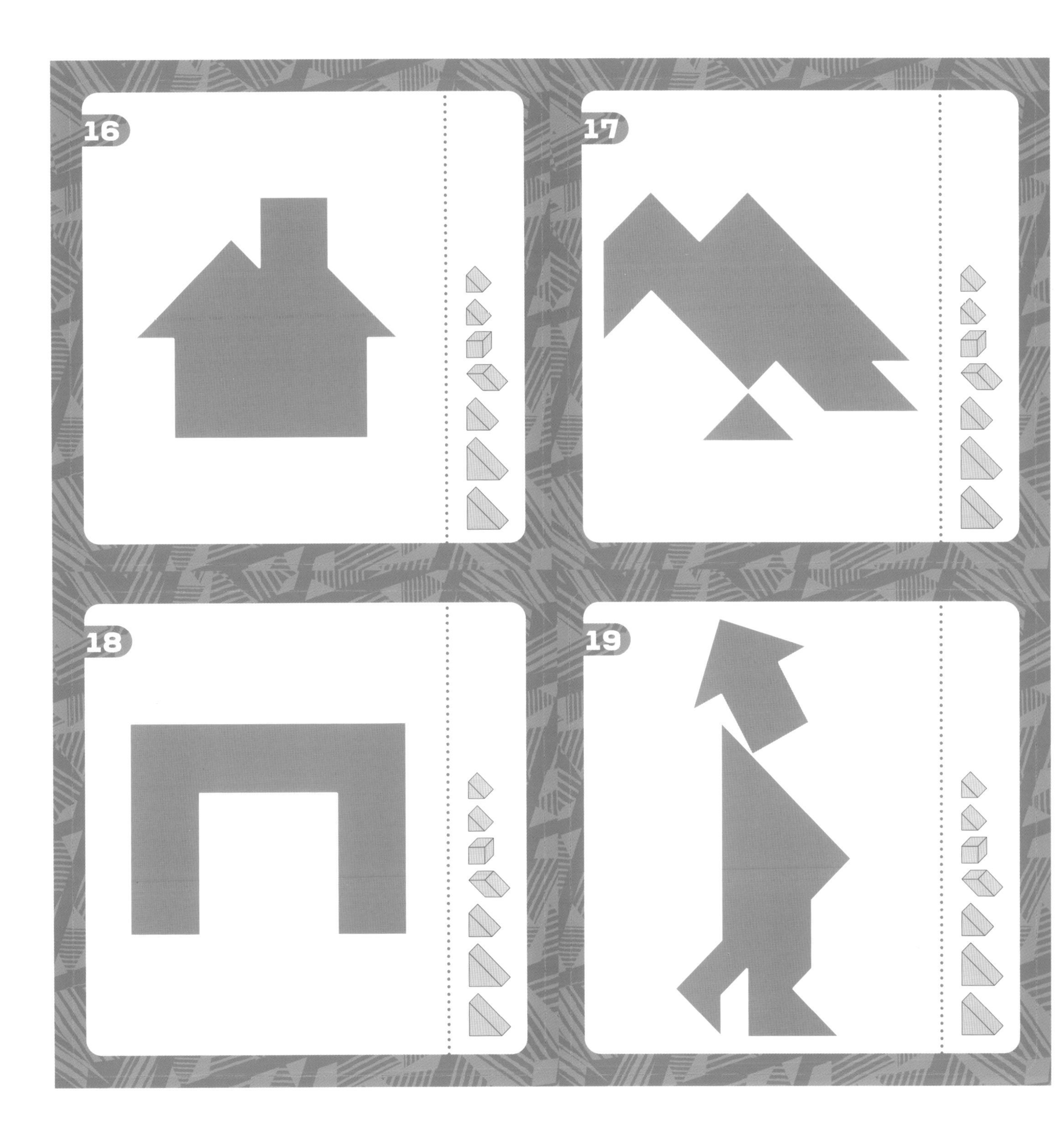
16
17
18
19

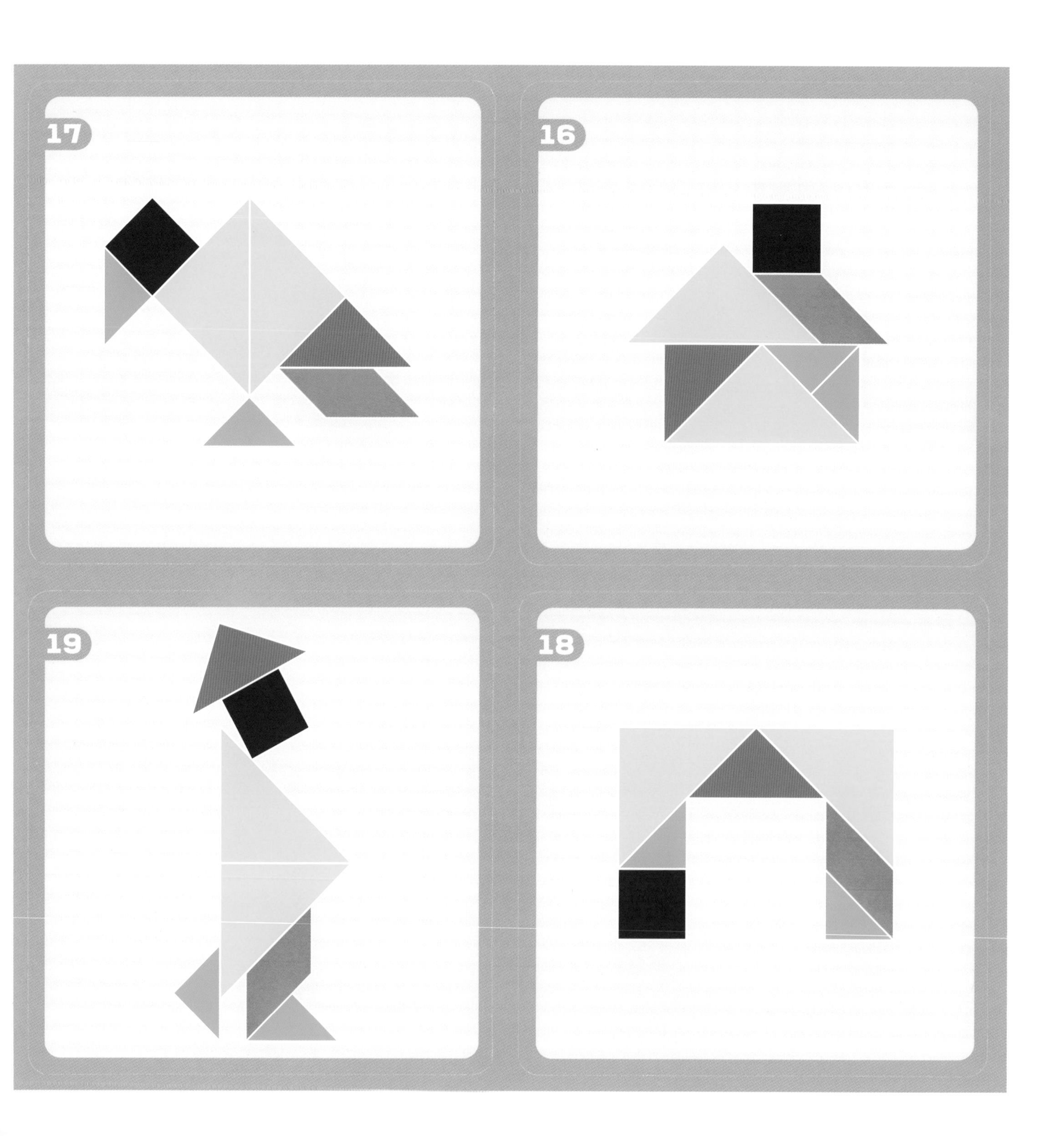
17
16
19
18

20
21
16
3
1
1
2
1
1
1
17
4
1
2
1
2
1
1
1

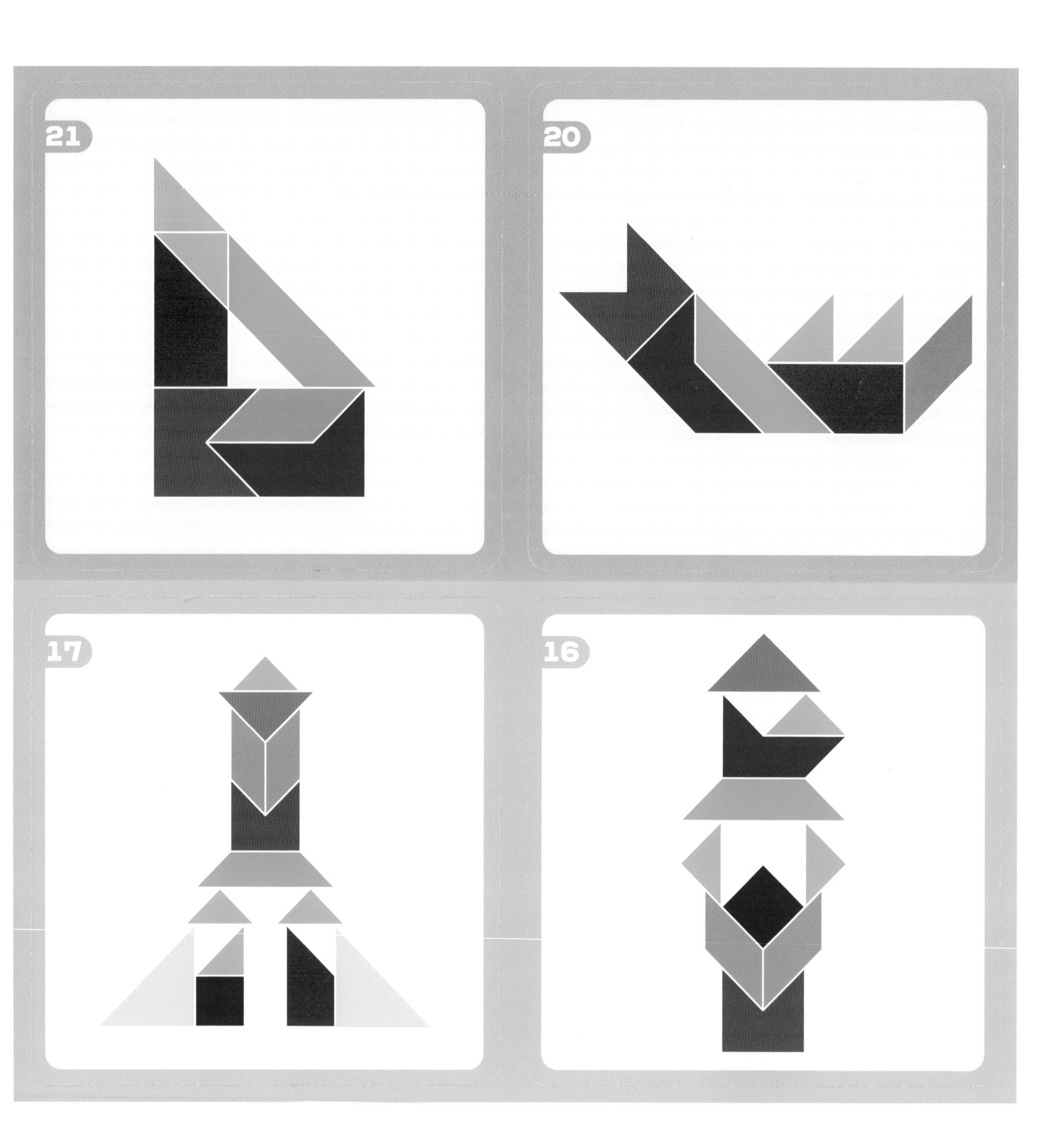
21
20
17
16

18
4
1
2
1
2
1
1
1
1
19
4
1
2
1
2
1
1
1
1
20
4
1
2
1
2
1
1
1
1
21
4
1
2
1
2
1
1
1
1

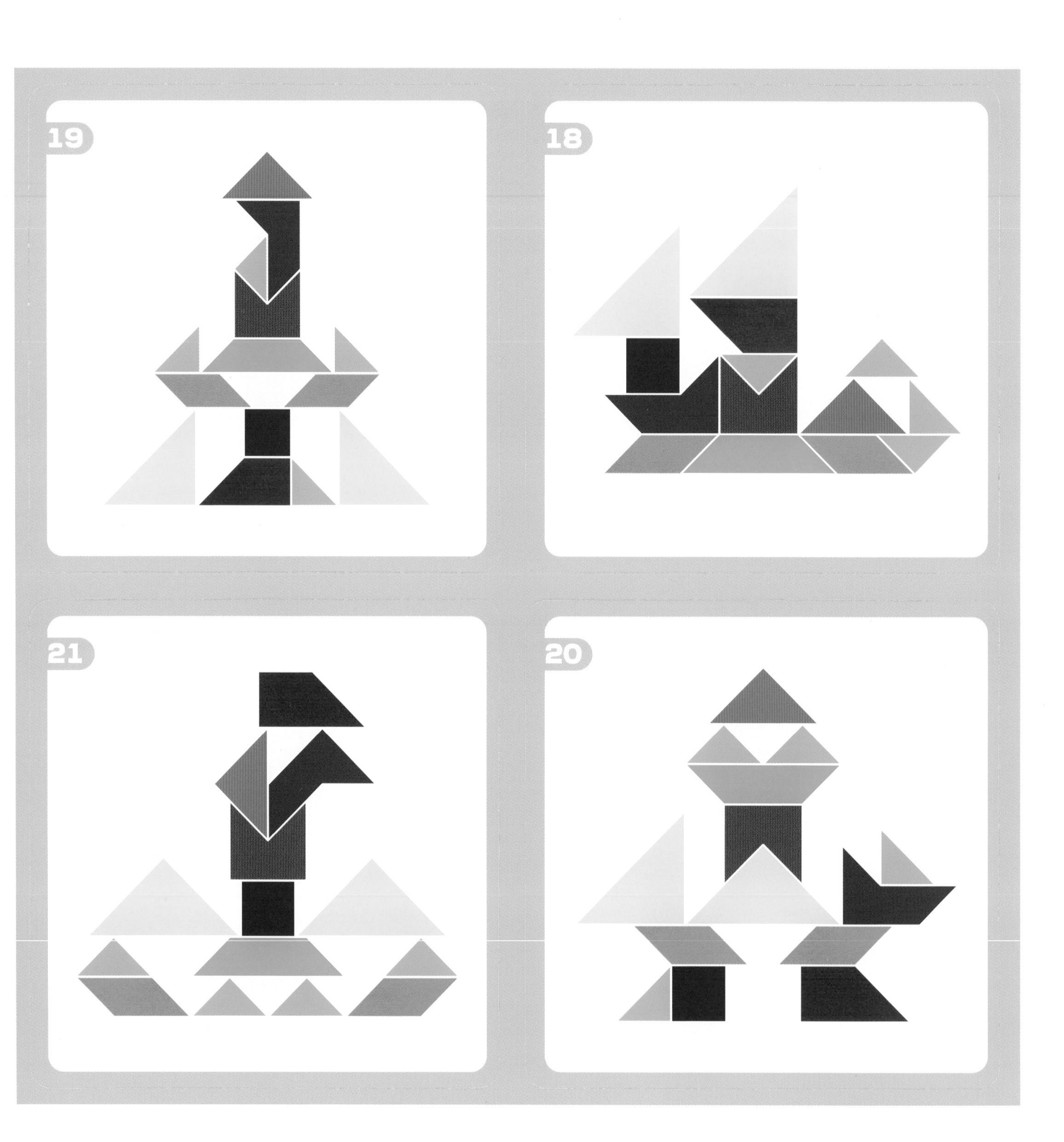
19
18
21
20

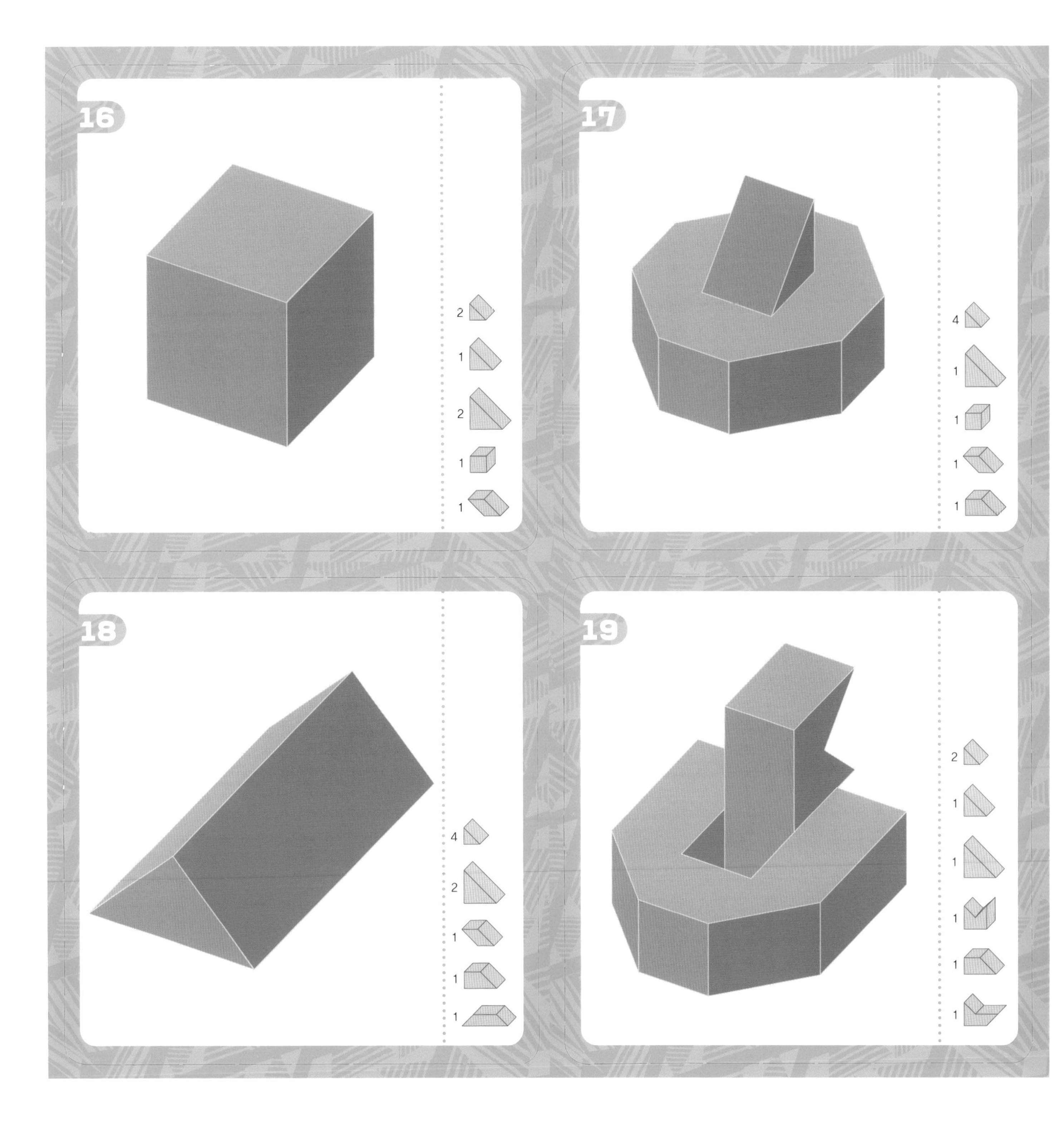
16
2
1
2
1
1
17
4
1
1
1
1
18
4
2
1
1
1
19
2
1
1
1
1
1

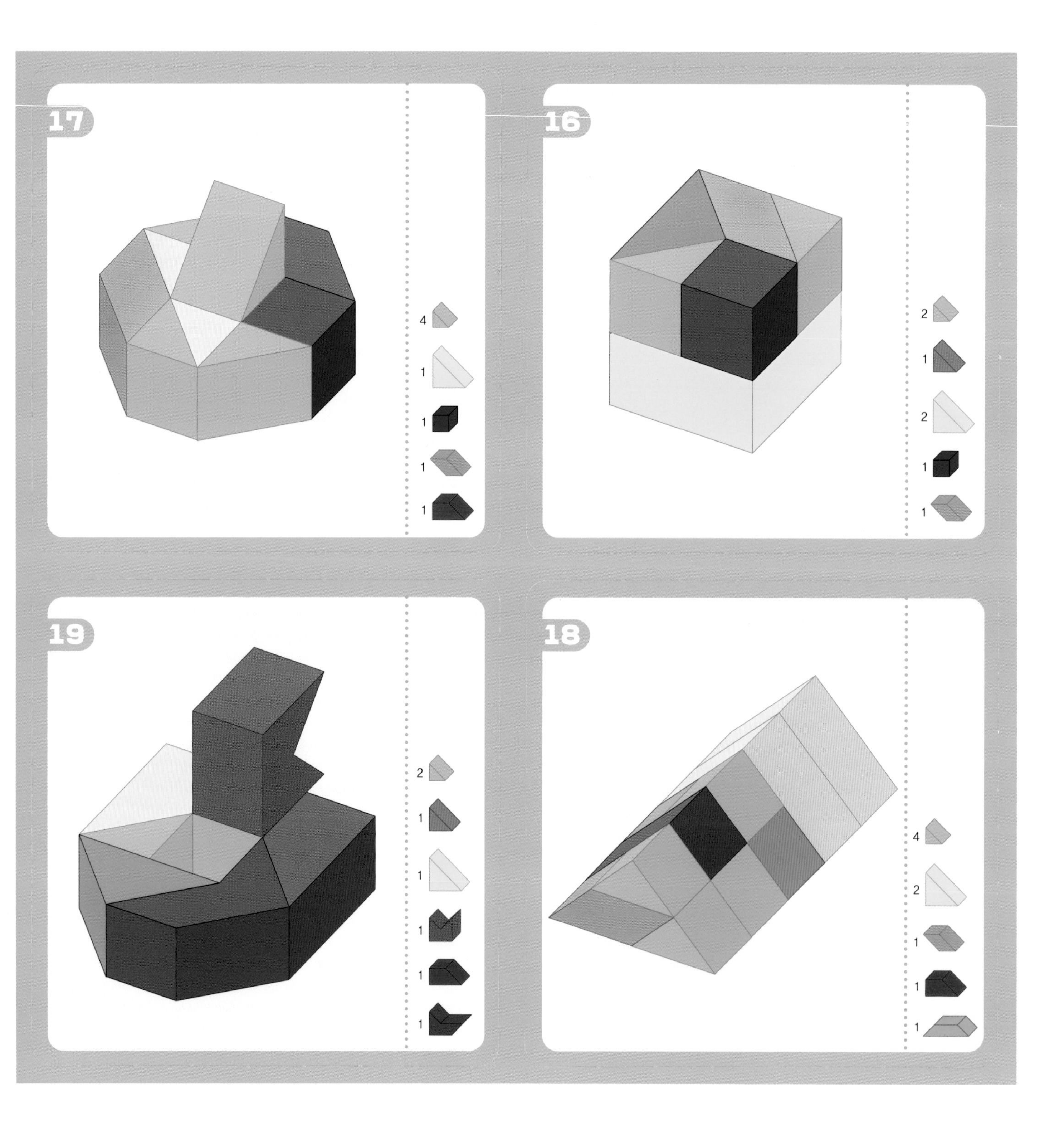
17
4
1
1
1
1
16
2
1
2
1
1
19
2
1
1
1
1
1
18
4
2
1
1
1

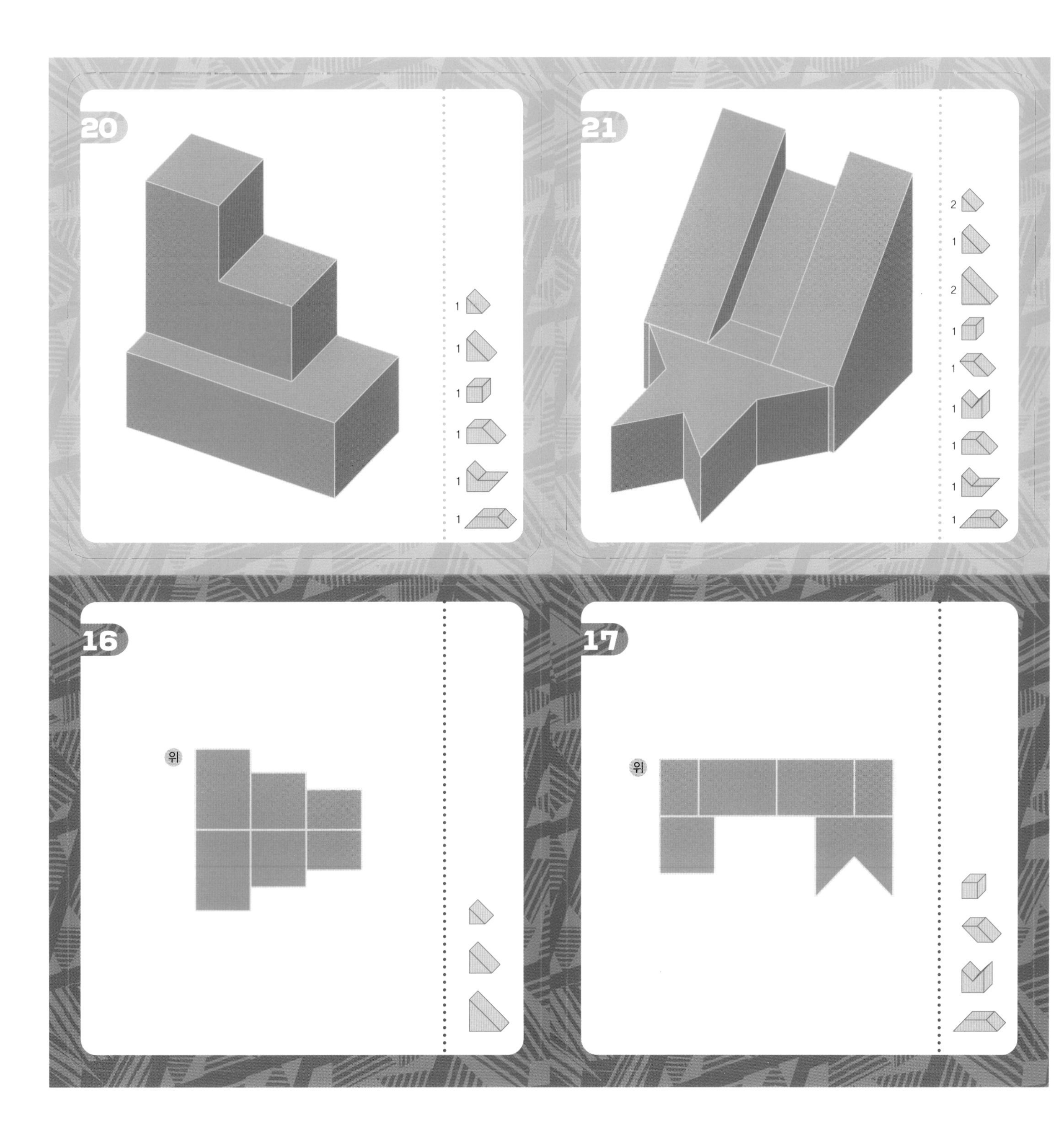

20
1
1
1
1
1
1
21
2
1
2
1
1
1
1
1
1
16
위
17
위

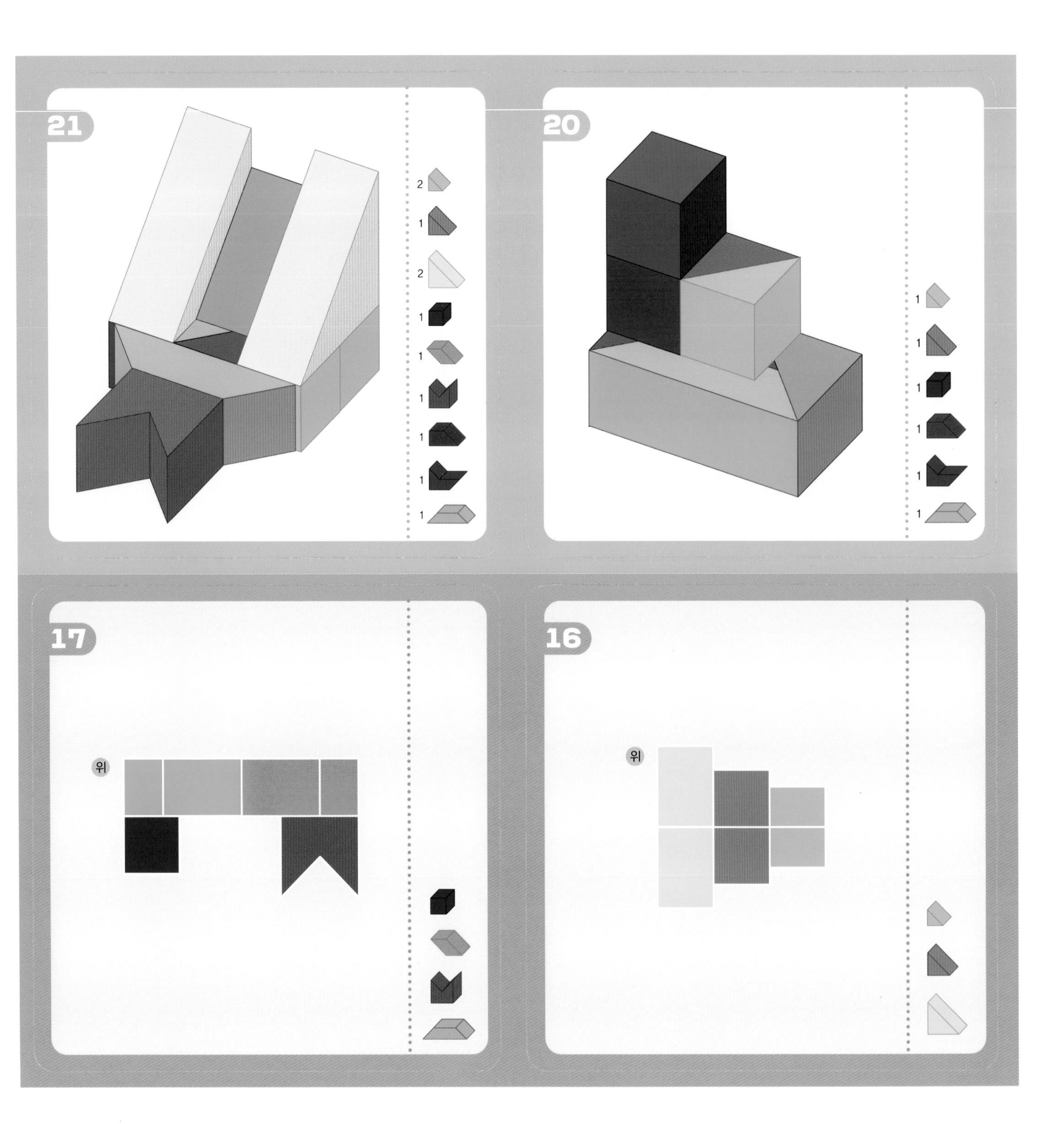
21
2
1
2
1
1
1
1
1
1
20
1
1
1
1
1
1
17
위
16
위

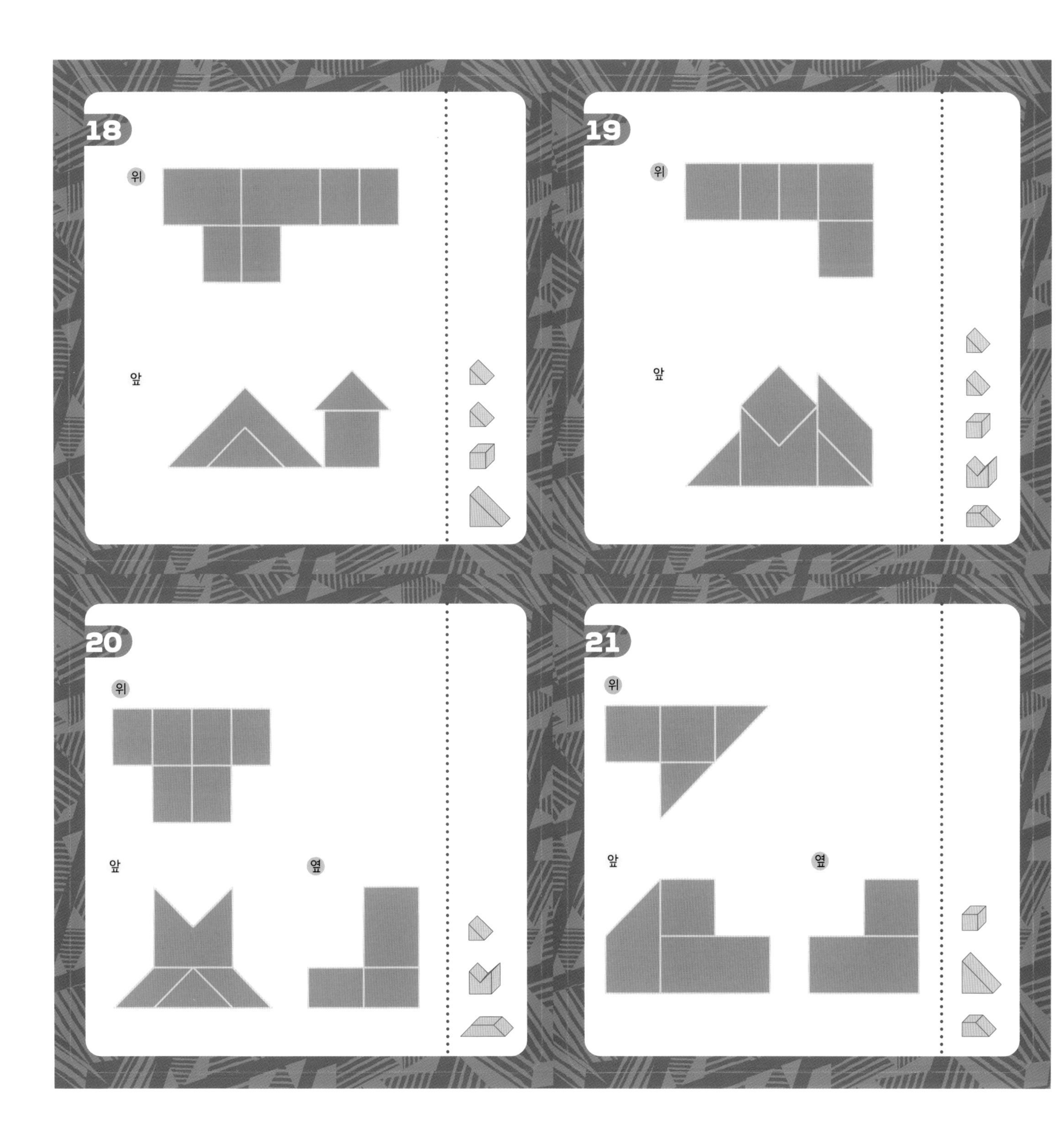
18
위
앞
19
위
앞
20
위
앞
옆
21
위
앞
옆

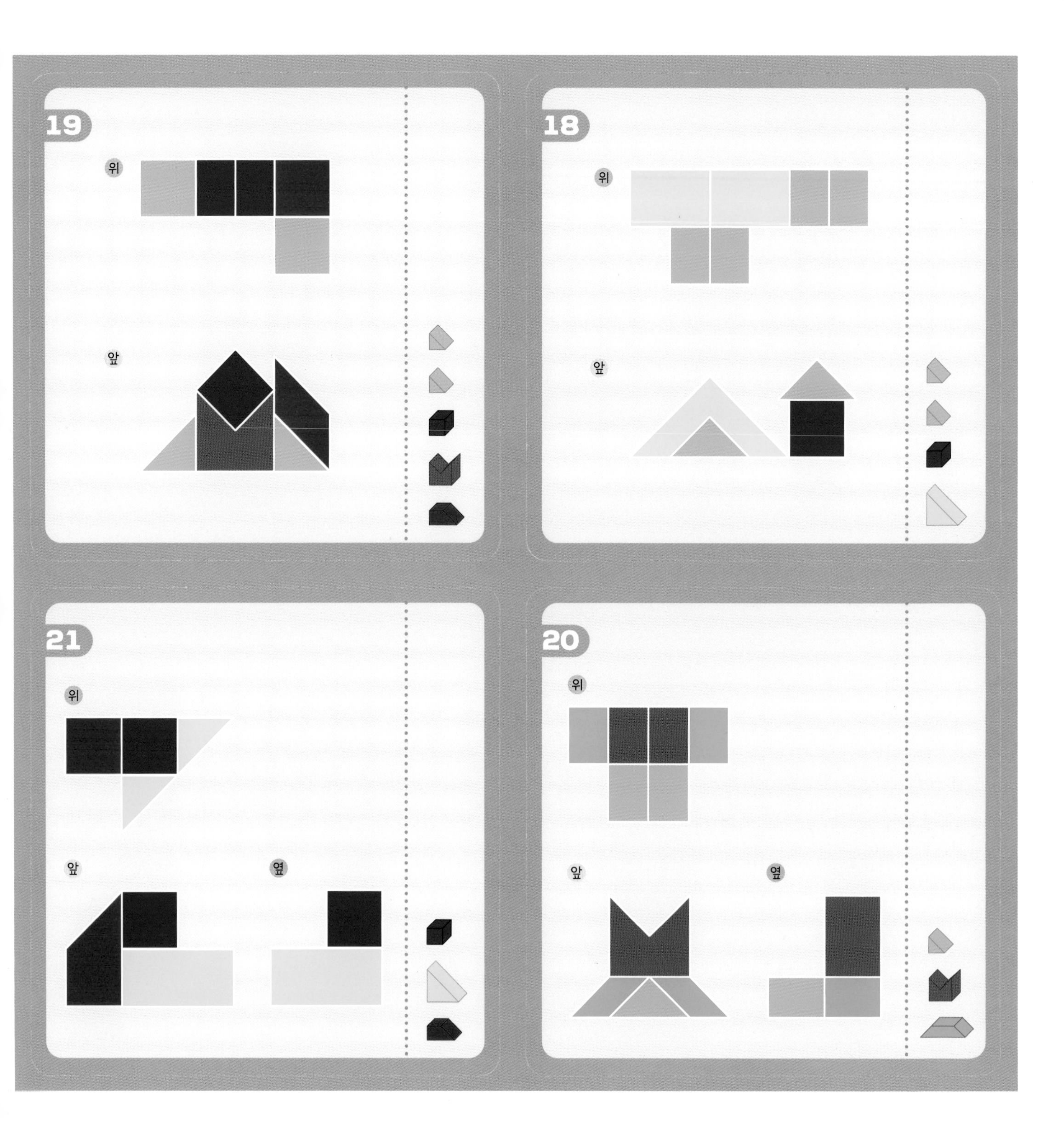
19
위
앞
18
위
앞
21
위
앞
옆
20
위
앞
옆

초등 수학 교구 상자

펜토미노턴

평면 공간감각을 길러주는 회전 펜토미노 퍼즐

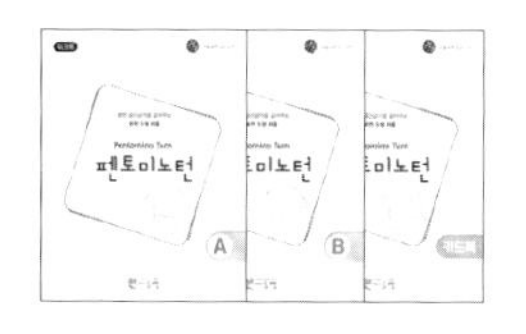

초등학생들이 어려워하는 '평면도형의 이동'을 펜토미노와 패턴 블록으로 도형을 직접 돌려보며 재미있게 해결하는 공간감각 퍼즐입니다.

큐브빌드

입체 공간감각을 길러주는 멀티큐브 퍼즐

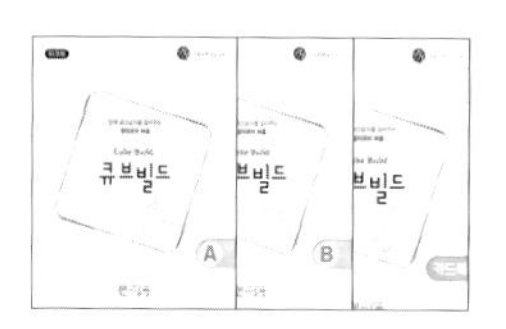

머릿속으로 그리기 어려운 입체도형을 쌓기나무와 멀티큐브를 이용하여 직접 만들어 위, 앞, 옆 모양을 관찰하고, 다양한 입체 모양을 만드는 공간감각 퍼즐입니다.

폴리탄

도형감각을 길러주는 **입체 칠교** 퍼즐

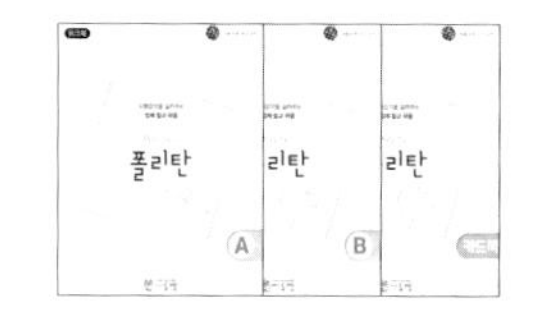

정사각형을 7조각으로 자른 '입체 칠교'와 직각이등변삼각형을 붙인 '입체 볼로'를 활용하여 평면뿐만 아니라 다양한 입체도형 문제를 해결하는 퍼즐입니다.

트랜스넘버

자유자재로 식을 만드는 멀티 숫자 퍼즐

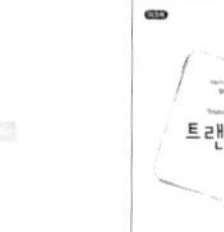
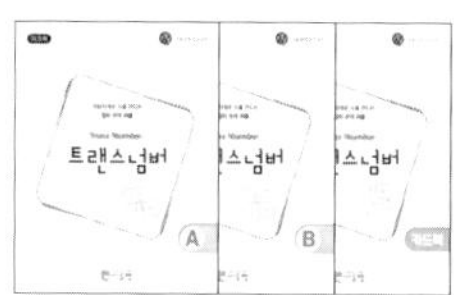

자유자재로 식을 만들고 이를 변형, 응용하는 활동을 통해 연산 원리와 연산감각을 길러주는 멀티 숫자 퍼즐입니다.

머긴스빙고

수 감각을 길러주는 **창의 연산** 보드 게임

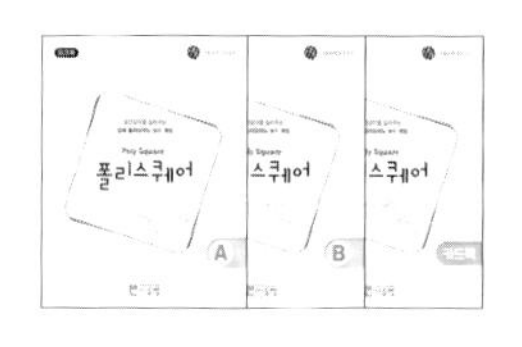

빙고 게임과 머긴스 게임을 활용하여 수 감각과 연산 능력을 끌어올리고 전략적 사고를 키우는 사고력 보드 게임입니다.

폴리스퀘어

공간감각을 길러주는 **입체 폴리오미노** 보드 게임

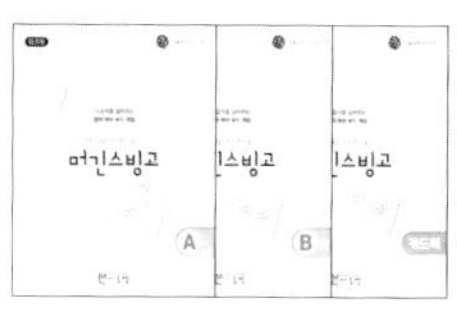

모노미노부터 펜토미노까지의 폴리오미노를 이용하여 다양한 모양을 만들어 보고, 공간을 차지하는 게임으로 공간감각을 키우는 공간점령 보드 게임입니다.

큐보이드

입체를 펼치고 접는 **공간 전개도** 퍼즐

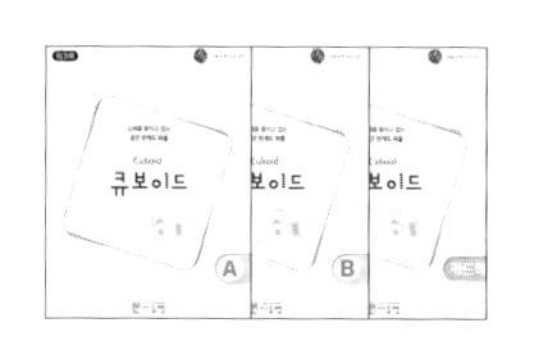

여러 가지 모양의 면을 자유롭게 연결하여 접었다 펼치는 활동을 통해 직육면체 전개도의 모든 것을 알아보는 공간 전개도 퍼즐입니다.

I hear and I forget 듣기만 한 것은 잊어버리고

I see and I remember 본 것은 기억되지만

I do and I understand 직접 해 본 것은 이해가 된다

Poly Tan

폴리탄

펴낸곳: ㈜씨투엠에듀 **발행인:** 한헌조

모델명: 필즈엠_폴리탄
제조년월: 2020년 8월
주소 및 전화번호: 경기도 수원시 장안구 파장로 7(태영빌딩 3층) / 031-548-1191
제조국명: 한국